卞尺丹几乙し丹卞と

Translated Language Learning

Il Pescatore e la sua Anima

The Fisherman and his Soul

Oscar Wilde

Italiano / English

Il Pescatore e la sua Anima
The Fisherman and his Soul

La sirena / The Mermaid

Ogni sera il giovane pescatore usciva in mare
Every evening the young Fisherman went out upon the sea
e gettò le reti in acqua
and he threw his nets into the water
Quando il vento soffiò dalla terra non prese nulla
When the wind blew from the land he caught nothing
o ha catturato ma poco al massimo
or he caught but little at best
perché era un vento amaro e dalle ali nere
because it was a bitter and black-winged wind
e onde agitate si alzarono per incontrare il vento dalla terra
and rough waves rose up to meet the wind from the land
Ma quando il vento soffiava sulla riva i pesci arrivavano dal profondo.
But when the wind blew to the shore the fishes came in from the deep
e i pesci nuotavano nelle maglie delle sue reti
and the fishes swam into the meshes of his nets
e li portò al mercato
and he took them to the market-place
e vendette i pesci che catturava
and he sold the fishes he caught

C'è stata una serata speciale
there was one special evening
La rete era così pesante che riusciva a malapena a tirarla sulla barca
the net was so heavy he could hardly pull it onto the boat

Il pescatore rise tra sé e sé

The fisherman laughed to himself

"Sicuramente, ho catturato tutti i pesci che nuotano"

"Surely, I have caught all the fish that swim"

"o ho intrappolato qualche mostro orribile"

"or I have snared some horrible monster"

"Un mostro che sarà una meraviglia per gli uomini"

"a monster that will be a marvel to men"

"o sarà una cosa dell'orrore"

"or it will be a thing of horror"

"una bestia che la grande Regina desidererà"

"a beast that the great Queen will desire"

Con tutte le sue forze tirò le corde grossolane

With all his strength he tugged at the coarse ropes

Tirò fino a quando le lunghe vene si alzarono sulle sue braccia.

he pulled until the long veins rose up on his arms

come linee di smalto blu intorno a un vaso di bronzo

like lines of blue enamel round a vase of bronze

Tirò le corde sottili

He tugged at the thin ropes

e alla fine la rete salì in cima all'acqua

and at last the net rose to the top of the water

Ma non c'erano pesci nella sua rete

But there were no fish in his net

né c'era un mostro o una cosa di orrore

nor was there a monster or thing of horror

c'era solo una sirenetta

there was only a little Mermaid

giaceva profondamente addormentata nella sua rete

she was lying fast asleep in his net

I suoi capelli erano come una lamina d'oro bagnata

Her hair was like a wet foil of gold

e ogni capello era come un filo d'oro
and each hair was like a thread of gold
come fiocchi d'oro in un bicchiere d'acqua
like golden flakes in a glass of water
Il suo corpo era come avorio bianco
Her body was as white ivory
e la sua coda era fatta d'argento e di perla
and her tail was made of silver and pearl
e le verdi erbacce del mare si arrotolavano intorno alla sua coda
and the green weeds of the sea coiled round her tail
e come conchiglie erano le sue orecchie
and like sea-shells were her ears
e le sue labbra erano come coralli marini
and her lips were like sea-coral
Le onde fredde si abbattevano sui suoi seni freddi
The cold waves dashed over her cold breasts
e il sale luccicava sulle sue palpebre
and the salt glistened upon her eyelids
Era così bella che lui era pieno di meraviglia.
She was so beautiful that the he was filled with wonder
e stese la mano
and he put out his hand
e tirò la rete vicino a sé
and he drew the net close to him
Chinandosi sul fianco la strinse tra le braccia
leaning over the side he clasped her in his arms
Si svegliò e lo guardò terrorizzata.
She woke, and looked at him in terror
Quando lui la toccò lei gridò
When he touched her she gave a cry
gridò come un gabbiano spaventato
she cried out like a startled sea-gull

Lo guardò con i suoi occhi color malva-ametista
she looked at him with her mauve-amethyst eyes
e ha lottato per poter fuggire
and she struggled so that she might escape
Ma lui la teneva stretta a sé
But he held her tightly to him
e non le avrebbe permesso di andarsene.
and he would not allow her to depart
Ha pianto quando ha visto che non poteva scappare
She wept when she saw she couldn't escape
"Ti prego, lasciami andare"
"I pray thee, let me go"
"Sono l'unica figlia di un re"
"I am the only daughter of a King"
"E mio padre è vecchio e solo"
"and my father is aged and alone"
Ma il giovane pescatore non volle lasciarla andare
But the young Fisherman would not let her go
"Non ti lascerò andare se non mi fai una promessa"
"I will not let thee go unless you make me a promise"
"Promettimi che ogni volta che ti chiamerò verrai a cantarmi"
"promise me that whenever I call thee thou wilt come and sing to me"
"Perché il tuo canto delizia i pesci"
"because your song delights the fishes"
"vengono ad ascoltare il canto del Sea-folk"
"they come to listen to the song of the Sea-folk"
"E allora le mie reti saranno piene"
"and then my nets shall be full"
"Mi lasceresti veramente andare se ti prometto questo?" gridò la Sirena.
"Would thou truly let me go if I promise this?" cried the

Mermaid

"In verità ti lascerò andare" disse il giovane pescatore.
"In very truth I will let thee go" said the young
Fisherman
Così gli fece la promessa che desiderava
So she made him the promise he desired
e lo giurò con il giuramento della gente di mare
and she swore it by the oath of the Sea-folk
E le sciolse le braccia da lei.
And he loosened his arms from her
e sprofondò nell'acqua
and she sank down into the water
e tremava di una strana paura
and she trembled with a strange fear

Ogni sera il giovane pescatore usciva in mare
Every evening the young Fisherman went out upon the
sea
e chiamò la Sirena
and he called out to the Mermaid
e lei si alzò dall'acqua e cantò per lui
and she rose out of the water and sang to him
Intorno a lei nuotavano i delfini
Round and round her swam the dolphins
e i gabbiani selvatici ruotavano sopra la sua testa
and the wild gulls wheeled above her head
E ha cantato una canzone meravigliosa
And she sang a marvellous song
Ha cantato del Sea-folk
She sang of the Sea-folk
Mermen che guidano le loro greggi di grotta in grotta
mermen who drive their flocks from cave to cave
e mermen che portano i piccoli vitelli sulle spalle

and mermen who carry the little calves on their shoulders
cantava dei Tritoni che hanno lunghe barbe verdi
she sang of the Tritons who have long green beards
e cantava dei loro petti pelosi
and she sang of their hairy chests
soffiano attraverso conchiglie contorte quando passa il Re
they blow through twisted conchs when the King passes
cantava del palazzo del re
she sang of the palace of the King
Il palazzo che è fatto interamente di ambra
the palace which is made entirely of amber
ha un tetto di smeraldo chiaro
it has a roof of clear emerald
e ha un pavimento di perla luminosa
and it has a pavement of bright pearl
e cantava dei giardini del mare
and she sang of the gardens of the sea
giardini dove grandi fan del corallo ondeggiano tutto il giorno
gardens where great fans of coral wave all day long
e i pesci guizzano come uccelli d'argento
and fish dart about like silver birds
e gli anemoni si aggrappano alle rocce
and the anemones cling to the rocks
Ha cantato delle grandi balene
She sang of the big whales
Balene che scendono dai mari del nord
whales that come down from the north seas
Hanno ghiaccioli affilati appesi alle pinne
they have sharp icicles hanging to their fins
cantava delle Sirene che raccontano di cose

meravigliose
she sang of the Sirens who tell of wonderful things
così meraviglioso che i mercanti si bloccano le orecchie con la cera
so wonderful that merchants block their ears with wax
in modo che non possano sentirli
so that they can not hear them
perché se li sentissero salterebbero in acqua
because if they heard them they would leap into the water
e sarebbero annegati in mare
and they would be drowned in the sea
cantava delle galee affondate con i loro alti alberi
she sang of the sunken galleys with their tall masts
e i marinai congelati aggrappati al sartiame
and the frozen sailors clinging to the rigging
e lo sgombro che nuota dentro e fuori dagli oblò aperti
and the mackerel swimming in and out of the open portholes
Cantava dei piccoli cirripedi
she sang of the little barnacles
Sono grandi viaggiatori
they are great travellers
si aggrappano alle chiglie delle navi
they cling to the keels of the ships
e girano il mondo
and they go round and round the world
e cantava delle seppie
and she sang of the cuttlefish
le seppie che vivono ai fianchi delle scogliere
the cuttlefish who live in the sides of the cliffs
e allungano le loro lunghe braccia nere
and they stretch out their long black arms

e possono far venire la notte quando vogliono

and they can make night come when they will it

Ha cantato del nautilus

She sang of the nautilus

Il Nautilus che ha una barca tutta sua

the nautilus who has a boat of her own

Una barca scavata in un opale

a boat that is carved out of an opal

e la barca è governata con una vela di seta

and the boat is steered with a silken sail

cantava dei felici Mermen che suonano le arpe

she sang of the happy Mermen who play upon harps

possono incantare il grande Kraken a dormire

they can charm the great Kraken to sleep

cantava dei bambini piccoli

she sang of the little children

I bambini piccoli che catturano le focene scivolose

the little children who catch the slippery porpoises

e cavalcano ridendo sulle loro spalle

and they ride laughing upon their backs

cantava delle Sirene che giacciono nella schiuma bianca

she sang of the Mermaids who lie in the white foam

e tendono le braccia ai marinai

and they hold out their arms to the mariners

Cantava dei leoni marini con le loro zanne ricurve

she sang of the sea-lions with their curved tusks

e i cavallucci marini con le loro criniere galleggianti

and the sea-horses with their floating manes

Quando cantava i pesci venivano dal mare

When she sang the fishes came from the sea

Sono venuti ad ascoltarla

they came to listen to her

il giovane Pescatore gettò le sue reti intorno a loro

the young Fisherman threw his nets round them

e ha catturato molti pesci

and he caught many fish

Altri pesci che ha catturato con una lancia

Other fish he caught with a spear

E quando la sua barca era piena la Sirena affondava

And when his boat was full the Mermaid would sink

Tornò giù in mare sorridendogli.

she went back down into the sea smiling at him

Non si è mai avvicinata abbastanza da poterla toccare

She never got close enough for him to touch her

Spesso la chiamava

Often times he called to her

e la pregò di avvicinarsi

and he begged to her to come closer

ma lei non si sarebbe avvicinata

but she would not come closer

Quando ha cercato di prenderla lei si è tuffata in acqua

when he tried to catch her she dived into the water

Proprio come una foca potrebbe tuffarsi in mare

just like a seal might dive into the sea

e non l'avrebbe più rivista quel giorno

and he wouldn't see her again that day

E ogni giorno la sua voce diventava più dolce alle sue orecchie

And each day her voice became sweeter to his ears

La sua voce così dolce che dimenticò le sue reti

Her voice so sweet that he forgot his nets

e dimenticò la sua astuzia

and he forgot his cunning

non aveva cura del suo mestiere

he had no care for his craft
Il tonno passava a banchi
The tuna went by in shoals
ma non ha prestato loro alcuna attenzione
but he didn't pay any attention to them
La sua lancia giaceva al suo fianco inutilizzata
His spear lay by his side unused
e i suoi cesti di assier intrecciato erano vuoti
and his baskets of plaited osier were empty
Con le labbra divaricate si sedette ozioso nella sua barca e ascoltò
With lips parted he sat idle in his boat and listened
e i suoi occhi erano offuscati dalla meraviglia
and his eyes were dim with wonder
Ascoltò finché le nebbie marine si insinuarono intorno a lui
he listened till the sea-mists crept round him
e la luna errante macchiò d'argento le sue membra brune
and the wandering moon stained his brown limbs with silver

Una sera chiamò la sirena
One evening he called to the mermaid
"Sirenetta, ti amo"
"Little Mermaid, I love thee"
"Prendimi per il tuo sposo, perché ti amo"
"Take me for thy bridegroom, for I love thee"
Ma la sirena scosse la testa
But the Mermaid shook her head
"Tu hai un'anima umana" rispose lei.
"Thou hast a human soul" she answered
"Se solo tu mandassi via la tua anima, allora potrei

amarti"
"If only thou would send away thy soul, then could I love thee"

E il giovane pescatore disse a se stesso: "A che mi serve la mia anima?"
And the young Fisherman said to himself, "Of what use is my soul to me?"

"Non riesco a vederlo"
"I cannot see it"

"Non posso non toccarlo"
"I cannot not touch it"

"Non lo so"
"I do not know it"

"Lo manderò via da me"
"I will send it away from me"

"e molta letizia sarà mia"
"and much gladness shall be mine"

E un grido di gioia uscì dalle sue labbra
And a cry of joy broke from his lips

tese le braccia alla Sirena
he held out his arms to the Mermaid

"Manderò via la mia anima" gridò.
"I will send my soul away" he cried

"E tu sarai la mia sposa"
"and you shall be my bride"

"e io sarò il tuo sposo"
"and I will be thy bridegroom"

"e nelle profondità del mare abiteremo insieme"
"and in the depth of the sea we will dwell together"

"E tutto ciò che hai cantato di te mostrami"
"and all that thou hast sung of thou shalt show me"

"e tutto ciò che tu desideri io farò"
"and all that thou desirest I will do"

"Le nostre vite non saranno divise"
"Our lives will not be divided"
E la sirenetta rise di piacere
And the little Mermaid laughed for pleasure
e si nascose il viso tra le mani
and she hid her face in her hands
"Ma come potrò mandare via la mia anima da me?"
gridò il giovane pescatore
"But how shall I send my soul from me?" cried the young
Fisherman
"Dimmi come posso farlo"
"Tell me how I can do it"
"Dimmelo e sarà fatto"
"tell me and it shall be done"
"Ahimè! Non lo so" disse la sirenetta
"Alas! I know not" said the little Mermaid
"la gente del mare non ha anima"
"the Sea-folk have no souls"
E affondò in mare
And she sank down into the sea
e lei lo guardò malinconicamente
and she looked up at him wistfully

Il prete / The Priest

La mattina dopo di buon'ora
Early on the next morning
prima che il sole fosse sopra le colline
before the sun was above the hills
il giovane Pescatore andò a casa del Sacerdote
the young Fisherman went to the house of the Priest
Bussò tre volte alla porta
he knocked three times at the door
Il sacerdote guardò fuori dalla porta
The priest looked out through the door
Quando vide chi era tirò indietro il chiavistello
when he saw who it was he drew back the latch
ed egli gli disse: "Entra"
and he said to him "Enter"
Ed entrò il giovane pescatore
And the young Fisherman went in
Si inginocchiò sui giunchi profumati del pavimento
he knelt down on the sweet-smelling rushes of the floor
e gridò al Sacerdote: "Padre"
and he cried to the Priest, "Father"
"Sono innamorato di uno dei Sea-folk"
"I am in love with one of the Sea-folk"
"E la mia anima mi impedisce di avere il mio desiderio"
"and my soul hindereth me from having my desire"
"Dimmi come posso allontanare la mia anima da me"
"Tell me how I can send my soul away from me"
"Non ne ho davvero bisogno"
"I truly have no need of it"
"Di che valore ha la mia anima per me?"
"Of what value is my soul to me?"

"**Non riesco a vederlo**"

"I cannot see it"

"**Non posso non toccarlo**"

"I cannot not touch it"

"**Non lo so**"

"I do not know it"

E il Sacerdote si batté il petto

And the Priest beat his chest

Ed egli rispose: "Tu sei pazzo"

and he answered, "thou art mad"

"**O hai mangiato erbe velenose!**"

"or you have eaten poisonous herbs!"

"**L'anima è la parte più nobile dell'uomo**"

"the soul is the noblest part of man"

"**e l'anima ci è stata data da Dio**"

"and the soul was given to us by God"

"**in modo che dovremmo usarlo nobilmente**"

"so that we should nobly use it"

"**Non c'è cosa più preziosa di un'anima umana**"

"There is no thing more precious than a human soul"

"**Né c'è alcuna cosa terrena che possa essere pesata con essa**"

"nor is there any earthly thing that can be weighed with it"

"**Vale tutto l'oro che c'è nel mondo**"

"It is worth all the gold that is in the world"

"**È più prezioso dei rubini dei re**"

"it is more precious than the rubies of the kings"

"**Non pensare più a questa faccenda, figlio mio**"

"Think not any more of this matter, my son"

"**perché è un peccato che non può essere perdonato**"

"for it is a sin that may not be forgiven"

"**E per quanto riguarda la gente del mare, sono perduti**"

"And as for the Sea-folk, they are lost"
"E anche chi vive con loro è perduto"
"and those who live with them are also lost"
"Sono come le bestie dei campi"
"They are like the beasts of the field"
"quelli che non conoscono il bene dal male"
"those that don't know good from evil"
"il Signore non è morto per loro"
"the Lord has not died for their sake"

ha ascoltato le amare parole del Sacerdote
he heard the bitter words of the Priest
e gli occhi del giovane pescatore si riempirono di lacrime
and the young Fisherman's eyes filled with tears
si alzò dalle ginocchia
he rose up from his knees
ed egli gli disse: "Padre"
and he said to him, "Father"
"i Fauni vivono nella foresta e sono contenti"
"the Fauns live in the forest and they are glad"
"e sulle rocce siedono i Mermen con le loro arpe d'oro rosso"
"and on the rocks sit the Mermen with their harps of red gold"
"Lascia che io sia come loro, ti supplico"
"Let me be as they are, I beseech thee"
"perché i loro giorni sono come i giorni dei fiori"
"for their days are as the days of flowers"
"E, quanto alla mia anima; Che cosa mi giova la mia anima?"
"And, as for my soul; what doth my soul profit me?"
"com'è buono se si frappone tra ciò che amo?"

"how is it good if it stands between what I love?"

"L'amore del corpo è vile" gridò il Sacerdote

"The love of the body is vile" cried the Priest

"E vili e malvagie sono le cose pagane"

"and vile and evil are the pagan things"

"Maledetti siano i Fauni del bosco"

"Accursed be the Fauns of the woodland"

"E maledetti siano i cantori del mare!"

"and accursed be the singers of the sea!"

"Li ho sentiti di notte"

"I have heard them at night-time"

"E hanno cercato di attirarmi dalla mia Bibbia"

"and they have sought to lure me from my bible"

"Toccano la finestra e ridono"

"They tap at the window, and laugh"

"Mi sussurrano nelle orecchie il racconto delle loro pericolose gioie"

"They whisper into my ears the tale of their perilous joys"

"Mi tentano con le tentazioni"

"They tempt me with temptations"

"e quando cerco di pregare mi prendono in giro"

"and when I try to pray they mock me"

"Sono perduti, ti dico"

"They are lost, I tell thee"

"Per loro non c'è paradiso, né inferno"

"For them there is no heaven, nor hell"

"e non loderanno mai il nome di Dio"

"and they shall never praise God's name"

"Padre" gridò il giovane pescatore

"Father" cried the young Fisherman

"Tu non sai quello che dici"

"thou knowest not what thou sayest"

"Una volta nella mia rete ho intrappolato la figlia di un re"

"Once in my net I snared the daughter of a King"

"Lei è più bella della stella del mattino"

"She is fairer than the morning star"

"Ed è più bianca della luna"

"and she is whiter than the moon"

"Per il suo corpo darei la mia anima"

"For her body I would give my soul"

"e per il suo amore vorrei cedere il cielo"

"and for her love I would surrender heaven"

"Dimmi cosa ti chiedo"

"Tell me what I ask of thee"

"E lasciami andare in pace"

"and let me go in peace"

"Via! Via!" gridò il Sacerdote

"Away! Away!" cried the Priest

"Il tuo amante è perduto e tu sarai perduto con lei"

"thy lover is lost and thou shalt be lost with her"

non gli diede alcuna benedizione

he gave him no blessing

e lo cacciò dalla sua porta

and he drove him from his door

il giovane Pescatore scese nella piazza del mercato

the young Fisherman went down into the market-place

camminava lentamente con la testa china

he walked slowly with bowed head

camminava come uno che è nel dolore

he walked like one who is in sorrow

Quando i mercanti lo videro arrivare, si sussurrarono l'un l'altro

when the merchants saw him coming they whispered to each other

e uno di loro gli venne incontro

and one of them came forth to meet him

e lo chiamò per nome

and he called him by name

"Che cosa hai da vendere?"

"What hast thou to sell?"

"Ti venderò l'anima mia"

"I will sell thee my soul"

"Ti prego di comprarmelo"

"I pray thee buy it off me"

"perché ne sono stanco"

"because I am weary of it"

"A che mi serve la mia anima?"

"Of what use is my soul to me?"

"Non riesco a vederlo"

"I cannot see it"

"Non posso non toccarlo"

"I cannot not touch it"

"Non lo so"

"I do not know it"

Ma i mercanti lo deridevano

But the merchants mocked him

"A che serve per noi l'anima di un uomo?"

"Of what use is a man's soul to us?"

"Non vale un pezzo d'argento"

"It is not worth a piece of silver"

"Vendici il tuo corpo per uno schiavo"

"Sell us thy body for a slave"

"E ti rivestiremo di porpora marina"

"and we will clothe thee in sea-purple"

"E ti metteremo un anello al dito"

"and we'll put a ring upon thy finger"

"e ti faremo servitore della grande Regina"

"and we'll make thee the minion of the great Queen"

"Ma non parlarci dell'anima"

"But don't talk of the soul to us"

"Perché per noi non serve"

"because for us it is of no use"

E il giovane pescatore pensò tra sé e sé

And the young Fisherman thought to himself

"Che cosa strana è questa!"

"How strange a thing this is!"

"Il sacerdote ha detto che l'anima vale tutto l'oro del mondo"

"The Priest said the soul is worth all the gold in the world"

"Ma i mercanti dicono che non vale un pezzo d'argento"

"but the merchants say it is not worth a piece of silver"

E uscì dalla piazza del mercato

And he went out of the market-place

e scese sulla riva del mare

and he went down to the shore of the sea

e cominciò a meditare su ciò che avrebbe dovuto fare

and began to ponder on what he should do

La strega / The Witch

A mezzogiorno si ricordò di uno dei suoi compagni
At noon he remembered one of his companions
Era un raccoglitore di finocchio
he was a gatherer of samphire
gli aveva parlato di una giovane strega che abitava in una grotta
he had told him of a young Witch who dwelt in a cave
ed era molto astuta nelle sue streghe
and she was very cunning in her witcheries
Si alzò e corse alla grotta
He stood up and ran to the cave
Dal prurito del palmo della mano la giovane Strega seppe la sua venuta
By the itching of her palm the young Witch knew his coming
e lei rise e lasciò cadere i suoi capelli rossi
and she laughed and let down her red hair
Si fermò all'apertura della grotta
She stood at the opening of the cave
I suoi capelli rossi le scorrevano intorno
her red hair flowed around her
e in mano aveva uno spruzzo di cicuta selvatica
and in her hand she had a spray of wild hemlock
"Cosa ti manca?" chiese lei, mentre lui arrivava.
"What do you lack?" she asked, as he came
stava ansimando quando arrivò da lei
he was panting when got to her
ed egli si chinò davanti a lei
and he bent down before her
"Vuoi pesci per quando non c'è vento?"
"Do you want fish for when there is no wind?"

"Ho una piccola canna"

"I have a little reed-pipe"

"e quando soffio su di esso le triglie vengono navigando nella baia"

"and when I blow on it the mullet come sailing into the bay"

"Ma ha un prezzo, bel ragazzo"

"But it has a price, pretty boy"

"Cosa ti manca?"

"What do you lack?"

"Vuoi che una tempesta distrugga le navi?"

"Do you want a storm to wreck the ships?"

"Laverà i forzieri del ricco tesoro a terra"

"It will wash the chests of rich treasure ashore"

"Ho più tempeste del vento"

"I have more storms than the wind"

"Io servo chi è più forte del vento"

"I serve one who is stronger than the wind"

"Posso mandare le grandi galee in fondo al mare"

"I can send the great galleys to the bottom of the sea"

"con un setaccio e un secchio d'acqua"

"with a sieve and a pail of water"

"Ma ho un prezzo, bel ragazzo"

"But I have a price, pretty boy"

"Cosa ti manca?"

"What do you lack?"

"Conosco un fiore che cresce nella valle"

"I know a flower that grows in the valley"

"nessuno sa di questo fiore tranne me"

"no one knows of this flower but I"

"Ha foglie viola e nel suo cuore c'è una stella"

"It has purple leaves and in its heart is a star"

"e il suo succo è bianco come il latte"

"and its juice is as white as milk"

"Se tocchi le labbra della Regina con esso, ti seguirà"

"If thou touch the lips of the Queen with it, she'll follow you"

"Ti seguirebbe in tutto il mondo"

"she would follow thee all over the world"

"Dal letto del re si sarebbe alzata"

"Out of the bed of the King she would rise"

"E su tutto il mondo ti seguirà"

"and over the whole world she would follow thee"

"Ma ha un prezzo, bel ragazzo"

"But it has a price, pretty boy"

"Cosa ti manca?"

"What do you lack?"

"Posso pestare un rospo in un mortaio"

"I can pound a toad in a mortar"

"e posso fare il brodo del rospo"

"and I can make broth of the toad"

"Mescolare il brodo con la mano di un uomo morto"

"stir the broth with a dead man's hand"

"Cospargilo sul tuo nemico mentre dorme"

"Sprinkle it on thine enemy while he sleeps"

"E si trasformerà in una vipera nera"

"and he will turn into a black viper"

"E sua madre lo ucciderà"

"and his own mother will slay him"

"Con una ruota posso disegnare la Luna dal cielo"

"With a wheel I can draw the Moon from heaven"

"e in un cristallo posso mostrarti la morte"

"and in a crystal I can show thee Death"

"Cosa ti manca?"

"What do you lack?"

"Dimmi il tuo desiderio e te lo darò"

"Tell me thy desire and I will give it to you"
"E tu mi pagherai un prezzo, bel ragazzo"
"and thou shalt pay me a price, pretty boy"

"Il mio desiderio è solo per una piccola cosa"
"My desire is but for a little thing"
"eppure il sacerdote era adirato con me"
"yet the Priest was angry with me"
"E mi cacciò via"
"and he chased me away"
"Il mio desiderio è solo per una piccola cosa"
"My wish is but for a little thing"
"Eppure i mercanti mi hanno preso in giro"
"yet the merchants have mocked me"
"E mi hanno negato il mio desiderio"
"and they denied me my wish"
"Perciò sono venuto a te"
"Therefore have I come to thee"
"Sono venuto anche se gli uomini ti chiamano malvagio"
"I came although men call thee evil"
"ma qualunque sia il tuo prezzo, io lo pagherò"
"but whatever thy price is I shall pay it"
"Che cosa vorresti?" chiese la Strega
"What would'st thou?" asked the Witch
e lei si avvicinò a lui
and she came near to him
"Desidero allontanare la mia anima da me" rispose il giovane pescatore
"I wish to send my soul away from me" answered the young Fisherman
La strega impallidì e rabbrividì.
The Witch grew pale, and shuddered

e nascose il viso nel suo manto blu

and she hid her face in her blue mantle

"Bel ragazzo" mormorò

"Pretty boy" she muttered

"Questa è una cosa terribile da fare"

"that is a terrible thing to do"

Gettò i suoi riccioli marroni e rise

He tossed his brown curls and laughed

"La mia anima non è nulla per me" rispose

"My soul is nought to me" he answered

"Non riesco a vederlo"

"I cannot see it"

"Non posso non toccarlo"

"I cannot not touch it"

"Non lo so"

"I do not know it"

"Cosa mi daresti se te lo dicessi?" chiese la Strega

"What would thou give me if I tell thee?" asked the Witch

e lei lo guardò con i suoi bellissimi occhi

and she looked down at him with her beautiful eyes

"Cinque pezzi d'oro" disse

"Five pieces of gold" he said

"e ti darò le mie reti"

"and I will give you my nets"

"e ti darò la casa dove abito"

"and I will give you the house where I live"

"E puoi avere la mia barca"

"and you can have my boat"

"Dimmi come sbarazzarmi della mia anima"

"Tell me how to get rid of my soul"

"e ti darò tutto ciò che possiedo"

"and I will give thee all that I possess"

Lei rise beffardamente di lui
She laughed mockingly at him
e lei lo colpì con lo spruzzo di cicuta.
and she struck him with the spray of hemlock
"Posso trasformare le foglie autunnali in oro"
"I can turn the autumn leaves into gold"
"e posso tessere i pallidi raggi di luna in argento"
"and I can weave the pale moonbeams into silver"
"Colui che servo è più ricco di tutti i re"
"He whom I serve is richer than all kings"
"Che cosa ti darò dunque se il tuo prezzo non è né oro né argento?"
"What then shall I give thee if thy price be neither gold nor silver?"
"La strega gli accarezzò i capelli con la sua sottile mano bianca"
"The Witch stroked his hair with her thin white hand"
"Devi ballare con me, bel ragazzo" mormorò
"Thou must dance with me, pretty boy" she murmured
e lei gli sorrise mentre parlava
and she smiled at him as she spoke
"Nient'altro che questo?" gridò il giovane pescatore.
"Nothing but that?" cried the young Fisherman
E si chiedeva perché non chiedesse di più
and he wondered why she didn't ask for more
Si alzò in piedi
He rose to his feet
"Nient'altro che questo" rispose lei.
"Nothing but that" she answered
e lei gli sorrise di nuovo
and she smiled at him again
"Allora al tramonto danzeremo insieme"
"Then at sunset we shall dance together"

"E dopo che avremo danzato dimmi"
"And after we have danced thou shalt tell me"
"La cosa che desidero sapere"
"The thing which I desire to know"
Lei scosse la testa
She shook her head
"Quando la luna è piena" mormorò
"When the moon is full" she muttered
Poi sbirciò tutto intorno e ascoltò
Then she peered all round, and listened
Una rosa di uccello blu che urla dal suo nido
A blue bird rose screaming from its nest
e l'uccello blu volteggiava sopra le dune
and the blue bird circled over the dunes
e tre uccelli maculati frusciavano nell'erba
and three spotted birds rustled in the grass
e si fischiavano l'un l'altro
and they whistled to each other
Non c'era altro suono se non il suono di un'onda
There was no other sound except for the sound of a wave
l'onda stava schiacciando i ciottoli
the wave was crushing pebbles
Così allungò la mano
So she reached out her hand
e lei lo avvicinò a sé
and she drew him near to her
e mise le sue labbra asciutte vicino al suo orecchio
and she put her dry lips close to his ear
"Stasera devi venire in cima al monte" sussurrò
"Tonight thou must come to the top of the mountain" she whispered
"È un sabato, ed Egli sarà lì"

"It is a Sabbath, and He will be there"
Il giovane pescatore fu sorpreso
The young Fisherman was startled
e lui la guardò
and he looked at her
mostrò i suoi denti bianchi e rise
she showed her white teeth and laughed
"Chi è Colui di cui parli?"
"Who is He of whom thou speakest?"
"Non importa" rispose lei.
"It matters not" she answered
"Andateci stasera"
"Go there tonight"
"Aspettami sotto i rami del carpino"
"wait for me under the branches of the hornbeam"
"Se un cane nero corre verso di te non farti prendere dal panico"
"If a black dog runs towards thee don't panic"
"Colpisci il cane con il salice e se ne andrà"
"strike the dog with willow and it will go away"
"Se un gufo ti parla non rispondere"
"If an owl speaks to thee don't answer it"
"Quando la luna sarà piena, io sarò con te"
"When the moon is full I shall be with thee"
"e danzeremo insieme sull'erba"
"and we will dance together on the grass"
"Ma giura di dirmi come mandare via la mia anima?"
"But do you swear to tell me how to send my soul away?"
Si trasferì alla luce del sole
She moved out into the sunlight
e il vento si increspava tra i suoi capelli rossi
and the wind rippled through her red hair

"Per gli zoccoli della capra lo giuro"

"By the hoofs of the goat I swear it"

"Tu sei la migliore delle streghe" gridò il giovane pescatore.

"Thou art the best of the witches" cried the young Fisherman

"e sicuramente ballerò con te stasera"

"and I will surely dance with thee tonight"

"Avrei preferito che tu avessi chiesto oro o argento"

"I would have preferred it if you had asked for gold or silver"

"Ma se questo è il tuo prezzo lo pagherò"

"But if this is thy price I shall pay it"

"Perché è solo una piccola cosa"

"because it is but a little thing"

Le tolse il berretto e chinò la testa in basso.

He doffed his cap to her and bent his head low

e corse in città con la gioia nel cuore.

and he ran back to town with joy in his heart

E la Strega lo guardò mentre andava

And the Witch watched him as he went

e quando fu passato dalla sua vista entrò nella sua caverna

and when he had passed from her sight she entered her cave

Tirò fuori uno specchio da una scatola

she took out a mirror from a box

e ha sistemato lo specchio su una cornice

and she set up the mirror on a frame

Ha bruciato verbena su carbone acceso davanti allo specchio

She burned vervain on lighted charcoal before the mirror

e sbirciava attraverso le spire del fumo

and she peered through the coils of the smoke
E dopo un po' strinse le mani per la rabbia
And after a time she clenched her hands in anger
"Avrebbe dovuto essere mio" mormorò.
"He should have been mine" she muttered
"Sono bella come lei"
"I am as beautiful as she is"

Quando la luna fu sorta, lasciò la sua capanna
When the moon had risen he left his hut
il giovane Pescatore salì in cima alla montagna
the young Fisherman climbed up to the top of the mountain
e stette sotto i rami del carpino
and he stood under the branches of the hornbeam
Il mare giaceva ai suoi piedi come un disco di metallo lucido
The sea lay at his feet like a disc of polished metal
e le ombre dei pescherecci si muovevano nella piccola baia
and the shadows of the fishing boats moved in the little bay
Un grande gufo con gli occhi gialli lo chiamò
A great owl with yellow eyes called him
Lo chiamava con il suo nome
it called him by his name
ma non ha risposto
but he made it no answer
Un cane nero corse verso di lui e ringhiò
A black dog ran towards him and snarled
Ma non si fece prendere dal panico
but he did not panic
e colpì il cane con una verga di salice

and he struck the dog with a rod of willow
e il cane se ne andò piagnucolando
and the dog went away whining

A mezzanotte le streghe volarono nell'aria
At midnight the witches came flying through the air
erano come pipistrelli
they were like bats
"Phew!" gridarono, mentre atterravano a terra.
"Phew!" they cried, as they landed on the ground
"C'è qualcuno qui che non conosciamo!"
"there is someone here that we don't know!"
e hanno annusato
and they sniffed about
e chiacchieravano tra loro
and they chattered to each other
e si fecero segni l'un l'altro
and they made signs to each other
Infine venne la giovane strega
Last of all came the young Witch
I suoi capelli rossi scorrevano nel vento
her red hair was streaming in the wind
Indossava un abito di tessuto d'oro
She wore a dress of gold tissue
e il suo vestito era ricamato con occhi di pavoni
and her dress was embroidered with peacocks' eyes
e un piccolo berretto di velluto verde era sulla sua testa
and a little cap of green velvet was on her head
"Chi è?" gridarono le streghe quando la videro.
"Who is he?" shrieked the witches when they saw her
ma lei rideva solo
but she only laughed
e corse al carpino

and she ran to the hornbeam
e prese il Pescatore per mano
and she took the Fisherman by the hand
Lo condusse fuori al chiaro di luna
she led him out into the moonlight
e cominciarono a ballare
and they began to dance
Giravano e rigiravano vorticando
Round and round they whirled
Saltò così in alto che poteva vedere i tacchi scarlatti delle sue scarpe
she jumped so high he could see the scarlet heels of her shoes
Poi venne il suono del galoppo di un cavallo
Then came the sound of the galloping of a horse
ma nessun cavallo doveva essere visto
but no horse was to be seen
e aveva paura
and he felt afraid
"Più veloce" gridò la strega
"Faster" cried the Witch
e lei gli gettò le braccia intorno al collo
and she threw her arms about his neck
e il suo respiro era caldo sul suo viso
and her breath was hot upon his face
"Più veloce, più veloce!" gridò.
"Faster, faster!" she cried
e la terra sembrava girare sotto i suoi piedi
and the earth seemed to spin beneath his feet
e i suoi pensieri si turbarono
and his thoughts grew troubled
e un grande terrore cadde su di lui
and a great terror fell on him

sentiva che qualcosa di malvagio lo stava osservando.

he felt some evil thing was watching him

e finalmente si rese conto di qualcosa

and at last he became aware of something

Sotto l'ombra di una roccia c'era una figura

under the shadow of a rock there was a figure

una figura che non c'era mai stata prima

a figure that he had not been there before

Era un uomo vestito con un abito di velluto nero

It was a man dressed in a black velvet suit

è stato disegnato alla moda spagnola

it was styled in the Spanish fashion

Il suo volto era stranamente pallido.

His face was strangely pale

ma le sue labbra erano come un fiero fiore rosso

but his lips were like a proud red flower

Sembrava stanco di ciò che stava vedendo

He seemed weary of what he was seeing

e si appoggiava all'indietro giocando in modo svogliato

and he was leaning back toying in a listless manner

Stava giocando con il pomolo del suo pugnale

he was toying with the pommel of his dagger

Sull'erba accanto a lui giaceva un cappello piumato

On the grass beside him lay a plumed hat

e un paio di guanti da equitazione con pizzo dorato

and a pair of riding gloves with gilt lace

sono stati cuciti con perle di semi

they were sewn with seed-pearls

Un corto mantello foderato di zibellini pendeva dalla sua spalla

A short cloak lined with sables hung from his shoulder

e le sue delicate mani bianche erano gemmate con anelli

and his delicate white hands were gemmed with rings
Palpebre pesanti si abbassavano sui suoi occhi
Heavy eyelids drooped over his eyes
Il giovane pescatore lo osservava
The young Fisherman watched him
Proprio come quando si è intrappolati in un incantesimo
just like when one is snared in a spell
Finalmente i loro occhi si incontrarono
At last their eyes met
ovunque danzasse gli occhi sembravano essere su di lui
wherever he danced the eyes seemed to be on him
Sentì la Strega ridere
He heard the Witch laugh
e la prese per la vita
and he caught her by the waist
e lui la fece roteare follemente in tondo e in tondo
and he whirled her madly round and round
All'improvviso un cane abbaiò nel bosco
Suddenly a dog barked in the woods
e i ballerini si fermarono
and the dancers stopped
Si inginocchiarono e baciarono le mani dell'uomo
they knelt down and kissed the man's hands
Mentre lo facevano, un piccolo sorriso toccò le sue labbra orgogliose
As they did so a little smile touched his proud lips
come quando l'ala di un uccello tocca l'acqua
like when a bird's wing touches the water
e fa ridere l'acqua
and it makes the water laugh
Ma c'era disprezzo nel suo sorriso

But there was disdain in his smile
Continuava a guardare il giovane pescatore
He kept looking at the young Fisherman
"Vieni! adoriamo" sussurrò la Strega
"Come! let us worship" whispered the Witch
e lei lo condusse fino all'uomo
and she led him up to the man
e un gran desiderio di seguirla lo colse
and a great desire to follow her seized him
e lui la seguì
and he followed her
Ma quando si avvicinò fece il segno della croce
But when he came close he made the sign of the Cross
Lo ha fatto senza sapere perché lo ha fatto
he did this without knowing why he did it
e invocò il santo nome
and he called upon the holy name
Appena lo fece le streghe urlarono come falchi
As soon as he did this the witches screamed like hawks
e tutte le streghe volarono via
and all the witches flew away
La figura sotto l'ombra si contraeva dal dolore
the figure under the shadow twitched with pain
L'uomo si avvicinò a un piccolo bosco e fischiò
The man went over to a little wood and he whistled
Un jennet con bardature d'argento gli venne incontro correndogli incontro.
A jennet with silver trappings came running to meet him
Mentre saltava sulla sella si voltò
As he leapt upon the saddle he turned round
e guardò tristemente il giovane pescatore
and he looked at the young Fisherman sadly
E anche la Strega dai capelli rossi cercò di volare via

And the Witch with the red hair also tried to fly away
ma il Pescatore la prese per i polsi
but the Fisherman caught her by her wrists
e la teneva stretta
and he held her tightly
"Lasciatemi andare!" gridò.
"Let me loose!" she cried
"Lasciami andare!"
"Let me go!"
"Tu hai nominato ciò che non dovrebbe essere nominato"
"thou hast named what should not be named"
"E tu hai mostrato il segno che non può essere guardato"
"and thou hast shown the sign that may not be looked at"
"ma io non ti lascerò andare finché non mi avrai detto il segreto"
"but I will not let thee go till thou hast told me the secret"
"Quale segreto?" disse la Strega
"What secret?" said the Witch
e lei lottava con lui come un gatto selvatico
and she wrestled with him like a wild cat
e si morse le labbra macchiate di schiuma
and she bit her foam-flecked lips
"Conosci il segreto"
"You know the secret"
"I suoi occhi verde erba si offuscarono di lacrime"
"Her grass-green eyes grew dim with tears"
e disse al pescatore "Chiedimi tutt'altro che questo!"
and she said to the Fisherman "Ask me anything but that!"
Lui rise e la strinse ancora più forte

He laughed, and held her all the more tightly
Vide che non poteva liberarsi
She saw that she could not free herself
Quando se ne rese conto gli sussurrò
when she realized this she whispered to him
"Sicuramente sono giusta come le figlie del mare"
"Surely I am as fair as the daughters of the sea"
"e io sono bello come quelli che abitano nelle acque azzurre"
"and I am as comely as those that dwell in the blue waters"
e lei si avventò su di lui e mise il suo viso vicino al suo.
and she fawned on him and put her face close to his
Ma lui la spinse indietro e le rispose.
But he thrust her back and replied to her
"Se non manterrai la tua promessa, io ti ucciderò"
"If thou don't keep your promise I will slay thee"
"Ti ucciderò per una falsa strega"
"I will slay thee for a false witch"
Divenne grigia come un fiore dell'albero di Giuda e rabbrividì
She grew grey as a blossom of the Judas tree and shuddered
"Se è così che vuoi che sia" mormorò.
"if that is how you want it to be" she muttered
"È la tua anima e non la mia"
"It is thy soul and not mine"
"Fatene ciò che volete"
"Do with it as thou wish"
E prese dalla cintura un coltellino
And she took from her girdle a little knife
Il coltello aveva un manico di pelle di vipera verde
the knife had a handle of green viper's skin

e lei gli diede questo coltello
and she gave him this knife
"Che cosa devo fare con questo?" le chiese chiedendosi
"What shall I do with this?" he asked of her wondering
Rimase in silenzio per qualche istante.
She was silent for a few moments
Uno sguardo di terrore si posò sul suo volto
a look of terror came over her face
Poi si spazzolò i capelli dalla fronte
Then she brushed her hair back from her forehead
e sorridendo stranamente gli parlò
and smiling strangely she spoke to him
"Ciò che gli uomini chiamano l'ombra del corpo non è l'ombra del corpo"
"What men call the shadow of the body is not the shadow of the body"
"È il corpo dell'anima"
"it is the body of the soul"
"Stai sulla riva del mare con le spalle alla luna"
"Stand on the sea-shore with thy back to the moon"
"Taglia via dai tuoi piedi la tua ombra"
"cut away from around thy feet thy shadow"
"L'ombra che è il corpo della tua anima"
"the shadow which is thy soul's body"
"E ordina alla tua anima di lasciarti"
"and bid thy soul to leave thee"
"E l'anima tua ti lascerà"
"and thy soul will leave thee"
Il giovane pescatore tremò
The young Fisherman trembled
"È vero?" mormorò.
"Is this true?" he murmured
"È vero" rispose lei.

"It is true" she answered

"e vorrei non avertelo detto"

"and I wish that I had not told thee of it"

Lei piangeva, e si aggrappava alle sue ginocchia piangendo

she cried, and she clung to his knees weeping

la allontanò da lui

he moved her away from him

e la lasciò nell'erba alta

and he left her in the tall grass

mise il coltello nella cintura

he placed the knife in his belt

e andò sul bordo della montagna

and he went to the edge of the mountain

Lì cominciò a scendere

there he began to climb down

L'anima / The Soul

La Sua Anima lo chiamò
His Soul called out to him
"Ho abitato con te per tutti questi anni"
"I have dwelt with thee for all these years"
"e io sono stato tuo servo"
"and I have been thy servant"
"Non mandarmi via da te"
"Don't send me away from thee"
"Che male ti ho fatto?"
"what evil have I done thee?"
E il giovane pescatore rise
And the young Fisherman laughed
"Non mi hai fatto alcun male"
"Thou has done me no evil"
"ma io non ho bisogno di te"
"but I have no need of thee"
"Il mondo è ampio"
"The world is wide"
"c'è il Paradiso e l'Inferno e un fioco crepuscolo tra di loro"
"there is Heaven and Hell and a dim twilight between them"
"Va' dove vuoi, ma non disturbarmi"
"Go wherever thou wilt, but trouble me not"
"Perché il mio amore mi chiama"
"because my love is calling to me"
La sua Anima lo supplicò pietosamente
His Soul besought him piteously
ma egli non vi diede ascolto
but he heeded it not
invece saltò di falesia in falesia

instead he leapt from crag to crag
Sicuro come una capra selvatica
sure-footed as a wild goat
e finalmente raggiunse il terreno pianeggiante
and at last he reached the level ground
e raggiunse la riva gialla del mare
and he reached the yellow shore of the sea
Stava sulla sabbia con le spalle alla luna
He stood on the sand with his back to the moon
e dalla schiuma uscirono braccia bianche
and out of the foam came white arms
Le braccia lo invitarono a venire
the arms beckoned him to come
Davanti a lui giaceva la sua ombra
Before him lay his shadow
l'ombra che era il corpo della sua anima
the shadow which was the body of his soul
e dietro di lui pendeva la luna
and behind him hung the moon
La luna sospesa nell'aria color miele
the moon hung in the honey-coloured air
E la sua Anima gli parlò di nuovo
And his Soul spoke to him again
"Se davvero devi scacciarmi da te, non mandarmi senza cuore"
"If indeed thou must drive me from thee, send me not forth without a heart"
"Il mondo è crudele"
"The world is cruel"
"Dammi il tuo cuore da portare con me"
"give me thy heart to take with me"
Alzò la testa e sorrise
He tossed his head and smiled

"Con che cosa dovrei amare il mio amore se ti dessi il mio cuore?"

"With what should I love my love if I gave thee my heart?"

"No, ma sii misericordioso" disse la sua Anima

"Nay, but be merciful" said his Soul

"Dammi il tuo cuore, perché il mondo è molto crudele"

"give me thy heart, for the world is very cruel"

"e ho paura"

"and I am afraid"

"Il mio cuore appartiene al mio amore" rispose

"My heart belongs my love" he answered

"Non dovrei amare anch'io?" chiese la sua Anima

"Should I not love also?" asked his Soul

"Vattene, perché non ho bisogno di te" ordinò il giovane pescatore.

"Get thee gone, for I have no need of thee" commanded the young Fisherman

e prese il coltellino

and he took the little knife

Il coltello con il suo manico di pelle di vipera verde

the knife with its handle of green viper's skin

e tagliò via la sua ombra intorno ai suoi piedi

and he cut away his shadow from around his feet

e la sua ombra si alzò e si fermò davanti a lui

and his shadow rose up and stood before him

La sua ombra era proprio come lui

his shadow was just like he was

e la sua ombra lo guardò

and his shadow looked at him

Si indietreggiò strisciando e si mise il coltello nella cintura

He crept back and put his knife into his belt

Una sensazione di soggezione lo assalì

A feeling of awe came over him

"Vattene" mormorò

"Get thee gone" he murmured

"Non farmi più vedere il tuo volto"

"let me see thy face no more"

"No, ma dobbiamo incontrarci di nuovo" disse l'Anima

"Nay, but we must meet again" said the Soul

La voce della sua anima era bassa e come un flauto

His soul's voice was low and like a flute

e le sue labbra si muovevano appena mentre parlava

and its lips hardly moved while it spoke

"Come ci incontreremo?" chiese il giovane pescatore.

"How shall we meet?" asked the young Fisherman

"Non vuoi seguirmi nelle profondità del mare?"

"Thou wilt not follow me into the depths of the sea?"

"Una volta all'anno verrò in questo posto"

"Once every year I will come to this place"

"e io ti chiamerò" disse l'Anima

"and I will call to thee" said the Soul

"Può darsi che tu abbia bisogno di me"

"It may be that thou will have need of me"

"Che bisogno dovrei avere di te?" chiese il giovane pescatore.

"What need should I have of thee?" asked the young Fisherman

"Ma sia come vuoi"

"but be it as thou wilt"

e si tuffò nell'acqua

and he plunged into the water

e i Tritoni suonarono le corna

and the Tritons blew their horns

e la sirenetta si alzò per incontrarlo

and the little Mermaid rose up to meet him
e lei gli mise le braccia intorno al collo
and she put her arms around his neck
e lei lo baciò sulla bocca
and she kissed him on the mouth
La sua anima stava sulla spiaggia solitaria
His soul stood on the lonely beach
e la sua anima li guardava
and his soul watched them
Quando furono sprofondati nel mare, la sua anima se ne andò piangendo sulle paludi.
When they had sunk down into the sea his soul went weeping away over the marshes

Dopo il primo anno
After the First Year

Dopo un anno finito l'Anima tornò sulla riva del mare
After a year was over the Soul came back to the shore of the sea
e chiamò il giovane Pescatore
and it called to the young Fisherman
e il giovane pescatore si alzò dal mare
and the young fisherman rose out of the sea
ed egli disse: «Perché mi chiami?»
and he said "Why dost thou call me?"
E l'Anima rispose: "Avvicinati"
And the Soul answered "Come nearer"
"avvicinati, perché io possa parlare con te"
"come nearer, so that I may speak with thee"
"Ho visto cose meravigliose"
"I have seen marvellous things"
Così si avvicinò
So he came nearer
e si addormentò nell'acqua bassa
and he couched in the shallow water
e appoggiò la testa sulla sua mano
and he leaned his head upon his hand
e ascoltò la sua anima
and he listened to his soul
E l'Anima gli parlò
And the Soul spoke to him

Quando ti lasciai mi voltai verso est
When I left thee I turned East
Dall'Oriente viene tutto ciò che è saggio
From the East cometh everything that is wise

Per sei giorni ho viaggiato
For six days I journeyed
la mattina del settimo giorno giunsi ad una collina
on the morning of the seventh day I came to a hill
una collina che si trova nel paese dei tartari
a hill that is in the country of the Tartars
Mi sono seduto all'ombra di un albero di tamerici
I sat down under the shade of a tamarisk tree
per ripararmi dal sole
in order to shelter myself from the sun
La terra era asciutta ed era bruciata dal caldo
The land was dry and had burnt up from the heat
La gente andava avanti e indietro per la pianura
The people went to and fro over the plain
Erano come mosche che strisciavano su un disco di rame lucido
they were like flies crawling upon a disk of polished copper
Quando era mezzogiorno una nuvola di polvere rossa si alzò
When it was noon a cloud of red dust rose
Quando i tartari lo videro infilarono i loro archi
When the Tartars saw it they strung their bows
e saltarono sui loro cavallini.
and they leapt upon their little horses
e galopparono per incontrare la nuvola di polvere rossa
and they galloped to meet the cloud of red dust
Le donne fuggirono urlando verso i vagoni
The women fled screaming to the wagons
e si nascosero dietro le tende di feltro
and they hid themselves behind the felt curtains
Al crepuscolo i tartari tornarono
At twilight the Tartars returned

cinque di loro erano dispersi
five of them were missing
Molti di loro erano stati feriti
many of them had been wounded
Imbrigliarono i loro cavalli ai carri
They harnessed their horses to the wagons
e si allontanarono frettolosamente
and they drove away hastily
Tre sciacalli uscirono da una grotta e li scrutarono
Three jackals came out of a cave and peered after them
Poi annusarono l'aria con le narici
Then they sniffed up the air with their nostrils
e trotterellarono nella direzione opposta
and they trotted off in the opposite direction
Quando la luna sorse vidi un falò
When the moon rose I saw a camp-fire
e andai verso il fuoco
and I went towards the fire
Una compagnia di mercanti era seduta intorno al fuoco
A company of merchants were seated round the fire
erano sui loro tappeti
they were on their carpets
I loro cammelli erano picchettati dietro di loro
Their camels were picketed behind them
e i loro servi piantavano tende nella sabbia
and their servants were pitching tents in the sand
Mentre mi avvicinavo a loro, il capo si alzò
As I came near them the chief rose up
Sguainò la spada e mi chiese le mie intenzioni
he drew his sword and asked me my intentions
Risposi che ero un principe nella mia terra
I answered that I was a Prince in my own land
e dissi che ero fuggito dai Tartari

and I said I had escaped from the Tartars
avevano cercato di rendermi loro schiavo
they had sought to make me their slave
Il capo sorrise e mi mostrò cinque teste
The chief smiled and he showed me five heads
le teste erano fissate su lunghe canne di bambù
the heads were fixed upon long reeds of bamboo
Poi mi chiese chi fosse il profeta di Dio.
Then he asked me who was the prophet of God
e io gli risposi "Maometto"
and I answered him "Mohammed"
Si inchinò e mi prese per mano
He bowed and took me by the hand
e mi mise al suo fianco
and he placed me by his side
Un servo mi ha portato del latte di giumenta in un piatto di legno
A servant brought me some mare's milk in a wooden-dish
e portò un pezzo di carne di agnello
and he brought a piece of lamb's flesh
All'alba abbiamo iniziato il nostro viaggio
At daybreak we started on our journey
Ho cavalcato un cammello dai capelli rossi
I rode on a red-haired camel
Ho cavalcato al fianco del capo
I rode by the side of the chief
e un corridore corse davanti a noi portando una lancia
and a runner ran before us carrying a spear
Gli uomini di guerra erano da entrambe le parti
The men of war were on both sides
e i muli seguirono con la mercanzia
and the mules followed with the merchandise

C'erano quaranta cammelli nella carovana
There were forty camels in the caravan
e i muli erano due volte quaranta in numero
and the mules were twice forty in number

Siamo passati dalla terra dei Tartari alla terra dei Grifoni
We went from the land of Tartars to the land of Gryphons
I Grifoni maledicono la Luna
The Gryphons curse the Moon
Abbiamo visto i Grifoni sulle rocce bianche
We saw the Gryphons on the white rocks
Stavano custodendo il loro tesoro d'oro
they were guarding their gold treasure
E abbiamo visto i draghi squamati dormire nelle loro caverne
And we saw the scaled Dragons sleeping in their caves
Mentre passavamo sopra le montagne trattenevamo il respiro
As we passed over the mountains we held our breath
perché la neve non cada su di noi
so that the snow would not fall on us
e ogni uomo legò un velo davanti ai suoi occhi
and each man tied a veil before his eyes
Mentre attraversavamo le valli, i Pigmei ci lanciarono frecce contro
As we passed through the valleys the Pygmies shot arrows at us
hanno sparato dalle cavità degli alberi
they shot from the hollows of the trees
Di notte sentivamo gli uomini selvaggi battere i loro tamburi

at night we heard the wild men beat their drums

Quando siamo arrivati alla Torre delle Scimmie abbiamo messo i frutti davanti a loro

When we came to the Tower of Apes we set fruits before them

e non ci hanno fatto del male

and they did not harm us

Quando arrivammo alla Torre dei Serpenti diedemmo loro ciotole di ottone

When we came to the Tower of Serpents we gave them bowls of brass

e in queste ciotole di ottone c'era latte caldo

and in these bowls of brass was warm milk

e ci hanno lasciato andare oltre

and they let us go past

Tre volte nel nostro viaggio siamo venuti sulle rive dell'Oxus

Three times in our journey we came to the banks of the Oxus

L'abbiamo attraversata su zattere di legno

We crossed it on rafts of wood

I cavalli del fiume si infuriavano contro di noi

The river-horses raged against us

e hanno cercato di ucciderci

and they tried to slay us

Quando i cammelli li videro tremarono

When the camels saw them they trembled

I re di ogni città ci imponevano pedaggi

The kings of each city levied tolls on us

ma non ci permettevano di entrare nei loro cancelli

but they would not allow us to enter their gates

Ci hanno gettato il pane oltre i muri

They threw us bread over the walls

e piccole torte di mais cotte nel miele

and little maize-cakes baked in honey

e dolci di farina fine ripieni di datteri

and cakes of fine flour filled with dates

Per ogni cento cesti abbiamo dato loro una perla d'ambra

For every hundred baskets we gave them a bead of amber

Quando gli abitanti del villaggio ci hanno visto arrivare hanno avvelenato i pozzi

When villagers saw us coming they poisoned the wells

e fuggirono verso le cime delle colline

and they fled to the hill-summits

Abbiamo combattuto con i Magadae

We fought with the Magadae

Nascono vecchi e ringiovaniscono ogni anno

They are born old and grow younger every year

muoiono quando sono bambini

they die when they are little children

e abbiamo combattuto con i Laktroi

and we fought with the Laktroi

Dicono di essere i figli delle tigri

they say that they are the sons of tigers

e si dipingono di giallo e nero

and they paint themselves yellow and black

E abbiamo combattuto con gli Aurantes

And we fought with the Aurantes

seppelliscono i loro morti sulle cime degli alberi

they bury their dead on the tops of trees

il Sole che è il loro dio li ucciderebbe

the Sun who is their god would slay them

Quindi vivono in caverne oscure

so they live in dark caverns

E abbiamo combattuto con i Krimniani
And we fought with the Krimnians
adorano un coccodrillo
they worship a crocodile
e danno agli orecchini di coccodrillo di vetro verde
and they give the crocodile earrings of green glass
e nutrono il coccodrillo con burro e polli freschi
and they feed the crocodile with butter and fresh fowls
E abbiamo combattuto con gli Agazonbae che hanno la faccia da cane
And we fought with the Agazonbae who are dog-faced
e abbiamo combattuto con i Sibani che hanno i piedi di cavallo
and we fought with the Sibans who have horses' feet
e corrono più veloci dei cavalli
and they run swifter than horses

Un terzo del nostro esercito è morto in battaglia
A third of our army died in battle
e un terzo del nostro esercito è morto per mancanza di cibo
and a third of our army died from want of food
Il resto del nostro esercito mormorava contro di me
The rest of our army murmured against me
dissero che avevo portato loro una cattiva fortuna
they said that I had brought them an evil fortune
Ho preso una vipera da sotto una pietra e ho lasciato che mi mordesse
I took an adder from beneath a stone and let it bite me
Quando videro che non mi ammalavo si spaventarono.
When they saw I did not sicken they grew afraid
Nel quarto mese abbiamo raggiunto la città di Illel
In the fourth month we reached the city of Illel

Era notte quando siamo arrivati
It was night time when we came
Siamo arrivati al boschetto fuori dalle mura della città
we arrived at the grove outside the city walls
l'aria era afosa perché la Luna viaggiava nello
Scorpione
the air was sultry because the Moon was travelling in
Scorpion
Abbiamo preso i melograni maturi dagli alberi
We took the ripe pomegranates from the trees
e li abbiamo rotti e bevuto i loro succhi dolci
and we broke them and drank their sweet juices
Poi ci siamo sdraiati sui nostri tappeti
Then we laid down on our carpets
e abbiamo aspettato l'alba
and we waited for the dawn
All'alba ci alzammo e bussammo alle porte della città
At dawn we rose and knocked at the gate of the city
Il cancello era in bronzo rosso
the gate was wrought out of red bronze
e aveva incisioni di draghi marini
and it had carvings of sea-dragons
Le guardie guardavano giù dai merli
The guards looked down from the battlements
e ci hanno chiesto quali fossero le nostre intenzioni
and they asked us what our intentions were
L'interprete della carovana rispose
The interpreter of the caravan answered
abbiamo detto che eravamo venuti dalla terra di Siria
we said we had come from the land of Syria
e gli abbiamo detto che avevamo molte merci
and we told him we had many merchandise
Hanno preso alcuni di noi come ostaggi

They took some of us as hostages
e ci hanno detto che avrebbero aperto il cancello a mezzogiorno
and they told us they would open the gate at noon
e quando fu mezzogiorno aprirono la porta
and When it was noon they opened the gate
Quando entrammo la gente uscì dalle case
as we entered in the people came out of the houses
Sono venuti per guardarci
they came in order to look at us
e un banditore di città fece il giro della città
and a town crier went round the city
e ha fatto annunci del nostro arrivo attraverso una conchiglia
and he made announcements of our arrival through a shell
Ci trovavamo nella piazza del mercato
We stood in the market-place
e i servi slegarono le balle di panni
and the servants uncorded the bales of cloths
Aprirono le casse scolpite di sicomoro
they opened the carved chests of sycamore
Poi i mercanti esponevano le loro strane merci
Then merchants set forth their strange wares
lino cerato dall'Egitto, lino dipinto dagli Etiopi
waxed linen from Egypt, painted linen from the Ethiops
spugne viola di Tiro, tazze di ambra fredda
purple sponges from Tyre, cups of cold amber
Vasi fini di vetro e curiosi vasi di argilla bruciata
fine vessels of glass, and curious vessels of burnt clay
Dal tetto di una casa una compagnia di donne ci guardava
From the roof of a house a company of women watched

us
Uno di loro indossava una maschera di cuoio dorato
One of them wore a mask of gilded leather

Il primo giorno vennero i sacerdoti
on the first day the priests came
hanno barattato con noi
they bartered with us
Il secondo giorno arrivarono i nobili
On the second day the nobles came
e il terzo giorno arrivarono gli artigiani
and on the third day the craftsmen came
e portarono i loro schiavi
and they brought their slaves
Questa è la loro abitudine con tutti i commercianti
this is their custom with all merchants
Abbiamo aspettato la luna
we waited for the moon
e quando la luna stava calando mi allontanai
and when the moon was waning I wandered away
Mi chiedevo per le vie della città
I wondered through the streets of the city
e sono venuto al giardino del Dio della città
and I came to the garden of the city's God
I sacerdoti nelle loro vesti gialle si muovevano silenziosamente
The priests in their yellow robes moved silently
si muovevano tra gli alberi verdi
they moved through the green trees
C'era un pavimento di marmo nero
There was a pavement of black marble
e su questo marciapiede sorgeva una casa rosa-rossa
and on this pavement stood a rose-red house

questa era la casa in cui abitava il Dio
this was the house in which the God was dwelling
le sue porte erano di lacca a polvere
its doors were of powdered lacquer
e tori e pavoni furono lavorati sulle porte
and bulls and peacocks were wrought on the doors
ed erano lucidati d'oro
and they were polished with gold
Il tetto di tegole era di porcellana verde mare
The tiled roof was of sea-green porcelain
e la grondaia sporgente era addobbata con piccole campane
and the jutting eaves were festooned with little bells
Quando le colombe bianche volarono oltre, suonarono le campane
When the white doves flew past they struck the bells
hanno colpito le campane con le loro ali
they struck the bells with their wings
e fecero tintinnare le campane
and they made the bells tinkle
Di fronte al tempio c'era una pozza di acqua limpida
In front of the temple was a pool of clear water
La piscina era pavimentata con onice venato
the pool was paved with veined onyx
Mi sono sdraiato accanto ad esso
I laid down beside it
e con le mie dita pallide toccavo le larghe foglie
and with my pale fingers I touched the broad leaves
Uno dei sacerdoti venne verso di me
One of the priests came towards me
e stava dietro di me
and he stood behind me
Aveva i sandali ai piedi

He had sandals on his feet
Un sandalo era di morbida pelle di serpente
one sandal was of soft serpent-skin
e l'altro sandalo era del piumaggio degli uccelli
and the other sandal was of birds' plumage
Sulla sua testa c'era una mitra di feltro nero
On his head was a mitre of black felt
ed era decorato con mezzelune d'argento
and it was decorated with silver crescents
Sette tipi di giallo erano intrecciati nella sua veste
Seven kinds of yellow were woven into his robe
e i suoi capelli crespi erano macchiati di antimonio
and his frizzed hair was stained with antimony

Dopo un po' mi parlò
After a little while he spoke to me
mi ha chiesto il mio desiderio
he asked me my desire
Gli dissi che il mio desiderio era vedere il loro dio
I told him that my desire was to see their god
"Il dio sta cacciando" disse il sacerdote
"The god is hunting" said the priest
Mi guardò stranamente con i suoi piccoli occhi.
He looked strangely at me with his small eyes
"Dimmi in quale foresta e cavalcherò con lui" risposi
"Tell me in what forest and I will ride with him" I
answered
**Ha pettinato le morbide frange della sua tunica con le
sue lunghe unghie appuntite**
He combed out the soft fringes of his tunic with his long
pointed nails
"Il dio dorme" mormorò.
"The god is asleep" he murmured

"Dimmi su quale divano, e io veglierò su di lui" risposi
"Tell me on what couch, and I will watch over him" I
answered
"Il dio è alla festa" gridò.
"The god is at the feast" he cried
"Se il vino è dolce, lo berrò con lui"
"If the wine be sweet, I will drink it with him"
"e se il vino sarà amaro, lo berrò anche con lui"
"and if the wine be bitter, I will drink it with him also"
Chinò il capo meravigliato
He bowed his head in wonder
Poi mi prese per mano e mi sollevò
then he took me by the hand and raised me up
e mi condusse nel tempio
and he led me into the temple

Nella prima camera vidi un idolo
In the first chamber I saw an idol
Questo idolo era seduto su un trono di diaspro
This idol was seated on a throne of jasper
ed era bordato di grandi perle d'Oriente
and it was bordered with great orient pearls
È stato scolpito in ebano
It was carved out of ebony
e aveva la statura di un uomo
and it had the stature of a man
Sulla fronte c'era un rubino
On its forehead was a ruby
e olio denso gocciolava dai suoi capelli
and thick oil dripped from its hair
l'olio gocciolava sulle sue cosce
the oil dripped onto its thighs
I suoi piedi erano rossi

Its feet were red
rosso con il sangue di un agnello appena ucciso
red with the blood of a newly-slain lamb
e i suoi lombi cintura con una cintura di rame
and its loins girt with a copper belt
rame costellato di sette berilli
copper that was studded with seven beryls
E io dissi al sacerdote: "È questo il dio?"
And I said to the priest "Is this the god?"
E lui mi rispose: "Questo è il dio"
And he answered me "This is the god"
"Mostrami il dio", gridai, "o sicuramente ti ucciderò"
"Show me the god," I cried, "or I will surely slay thee"
Ho toccato la sua mano ed è diventata appassita
I touched his hand and it became withered
Il sacerdote mi ha implorato pietà
the priest begged me for mercy
"Lascia che il mio signore guarisca il suo servo e io gli mostrerò il dio"
"Let my lord heal his servant and I will show him the god"
Così ho respirato con il mio respiro sulla sua mano
So I breathed with my breath upon his hand
La sua mano divenne di nuovo integra e tremò di paura.
his hand became whole again, and he trembled with fear
Poi mi condusse nella seconda camera
Then he led me into the second chamber
in questa stanza ho visto un idolo
in this chamber I saw an idol
L'idolo era in piedi su un loto di giada
The idol was standing on a lotus of jade
Il loto appeso con grandi smeraldi

the lotus hung with great emeralds
È stato scolpito in avorio
It was carved out of ivory
la sua statura era il doppio della statura di un uomo
its stature was twice the stature of a man
Sulla fronte c'era una crisolite
On its forehead was a chrysolite
e i suoi seni erano imbrattati di mirra e cannella
and its breasts were smeared with myrrh and cinnamon
In una mano teneva uno scettro storto di giada
In one hand it held a crooked sceptre of jade
e nell'altra mano teneva un cristallo rotondo
and in the other hand it held a round crystal
Indossava buskins di ottone
It wore buskins of brass
e il suo collo spesso era cerchiato di seleniti
and its thick neck was circled with selenites
E chiesi al sacerdote: "È questo il dio?"
And I asked the priest "Is this the god?"
E lui mi rispose: "Questo è il dio"
And he answered me "This is the god"
"Mostrami il dio", gridai, "o sicuramente ti ucciderò"
"Show me the god," I cried, "or I will surely slay thee"
E ho toccato i suoi occhi e sono diventati ciechi
And I touched his eyes and they became blind
**E il sacerdote mi pregò "Lascia che il mio signore
guarisca il suo servo"**
And the priest begged me "Let my lord heal his servant"
"guariscimi e io gli mostrerò il dio"
"heal me and I will show him the god"
Così ho respirato con il mio respiro sui suoi occhi
So I breathed with my breath upon his eyes
e la vista tornò ai suoi occhi

and the sight came back to his eyes
Tremò di nuovo di paura
He trembled with fear again
e poi mi condusse nella terza camera
and then he led me into the third chamber

Non c'era nessun idolo nella terza camera
There was no idol in the third chamber
non c'erano immagini di alcun tipo
there were no images of any kind
tutto quello che c'era era uno specchio
all there was was a mirror
e lo specchio era fatto di metallo rotondo
and the mirror was made of round metal
e lo specchio fu posto su un altare di pietra
and the mirror was set on an altar of stone
E io dissi al sacerdote: "Dov'è il dio?"
And I said to the priest "Where is the god?"
E lui mi rispose: "Non c'è altro dio che questo specchio
And he answered me "There is no god but this mirror
perché questo è lo Specchio della Saggezza
because this is the Mirror of Wisdom
Riflette tutte le cose che sono in cielo
It reflects all things that are in heaven
e riflette tutte le cose che sono sulla terra
and it reflects all things that are on earth
tranne il volto di colui che lo guarda dentro
except for the face of him who looketh into it
Questo non riflette
This it reflects not
Così colui che si guarda allo specchio diventerà saggio
so he who looketh into the mirror will become wise
Ci sono molti altri specchi nel mondo

there are many other mirrors in the world
ma sono specchi di opinione
but they are mirrors of opinion
Questo è l'unico specchio che mostra la Saggezza
This is the only mirror that shows Wisdom
Chi possiede questo specchio sa tutto
those who possess this mirror know everything
Non c'è nulla che sia nascosto a loro
There isn't anything that is hidden from them
E coloro che non possiedono lo specchio non hanno Saggezza
And those who don't possess the mirror don't have Wisdom
Quindi questo specchio è il dio
Therefore this mirror is the god
ed è per questo che adoriamo questo specchio
and that is why we worship this mirror
E mi sono guardato allo specchio
And I looked into the mirror
ed era come mi aveva detto
and it was as he had said to me

E poi ho fatto una cosa strana
And then I did a strange thing
ma quello che ho fatto non importa
but what I did matters not
C'è una valle che è solo un giorno di viaggio da qui
There a valley that is but a day's journey from here
in questa valle ho nascosto lo Specchio della Sapienza
in this valley I have hidden the Mirror of Wisdom
Permettimi di entrare di nuovo in te
Allow me to enter into thee again
Fa' che io sia tuo servo e tu sarai più saggio di tutti i

saggi

let me be thy servant and thou shalt be wiser than all the wise men

e la Sapienza sarà tua

and Wisdom shall be thine

fa' che io entri in te e nessuno sarà saggio come te

let me enter into thee and none will be as wise as thou

Ma il giovane pescatore rise

But the young Fisherman laughed

"L'amore è meglio della saggezza"

"Love is better than Wisdom"

"La sirenetta mi ama"

"The little Mermaid loves me"

"Ma non c'è niente di meglio della Sapienza" disse l'Anima

"But there is nothing better than Wisdom" said the Soul

"L'amore è meglio" rispose il giovane pescatore

"Love is better" answered the young Fisherman

e si tuffò nel mare profondo

and he plunged into the deep sea

e l'Anima andò piangendo via per le paludi

and the Soul went weeping away over the marshes

Dopo il secondo anno
After the Second Year

Dopo la fine del secondo anno l'Anima è tornata
After the second year was over the Soul came back
è sceso sulla riva del mare
it went down to the shore of the sea
e chiamò il giovane Pescatore
and it called to the young Fisherman
ed egli si levò dal profondo
and he rose out of the deep
ed egli disse: «Perché mi chiami?»
and he said "Why dost thou call to me?"
E l'Anima rispose: "Avvicinati perché io possa parlare con te"
And the Soul answered "Come nearer so that I may speak with thee"
"perché ho visto cose meravigliose"
"because I have seen marvellous things"
Così si avvicinò
So he came nearer
e si addormentò nell'acqua bassa
and he couched in the shallow water
e appoggiò la testa sulla mano e ascoltò
and leaned his head upon his hand and listened
E l'Anima gli parlò
And the Soul spoke to him

Quando ti lasciai, volsi la faccia verso il Sud
When I left thee I turned my face to the South
Dal Sud viene tutto ciò che è prezioso
From the South cometh everything that is precious
Sei giorni ho viaggiato lungo le carreggiate

Six days I journeyed along the carriage-ways
e le autostrade portavano alla città di Ashter
and the highways led to the city of Ashter
lungo le polverose carreggiate tinte di rosso
along the dusty red-dyed carriage-ways
modi attraverso i quali i pellegrini sono soliti andare
ways by which the pilgrims are wont to go
e la mattina del settimo giorno alzai gli occhi
and on the morning of the seventh day I lifted up my
eyes
ed ecco! La città giaceva ai miei piedi
and lo! the city lay at my feet
perché la città è in una valle
because the city is in a valley
Ci sono nove porte per questa città
There are nine gates to this city
e davanti ad ogni porta sta un cavallo di bronzo
and in front of each gate stands a bronze horse
**i cavalli vicino quando i beduini scendono dalle
montagne**
the horses neigh when the Bedouins come down from
the mountains
Le pareti sono rivestite in rame
The walls are cased with copper
e le torri di guardia sulle pareti sono coperte di ottone
and the watch-towers on the walls are roofed with brass
In ogni torre si erge un arciere
In every tower stands an archer
e ogni arciere ha un arco in mano
and each archer has a bow in his hand
All'alba colpisce con una freccia su un gong
At sunrise he strikes with an arrow on a gong
e al tramonto soffia attraverso un corno

and at sunset he blows through a horn
Quando ho cercato di entrare le guardie mi hanno fermato
When I sought to enter the guards stopped me
e mi chiesero chi fossi
and they asked of me who I was
Ho risposto che ero un derviscio
I made answer that I was a Dervish
e ho detto che stavo andando alla città della Mecca
and I said I was on my way to the city of Mecca
alla Mecca c'era un velo verde
in Mecca there was a green veil
il Corano era ricamato con lettere d'argento su di esso
the Koran was embroidered with silver letters on it
è stato ricamato dalle mani degli angeli
it was embroidered by the hands of the angels
Le guardie erano piene di meraviglia
the guards were filled with wonder
e mi supplicarono di passare
and they entreated me to pass in
All'interno della città c'era un bazar
Inside the city was a bazaar
Sicuramente avresti dovuto essere con me
Surely thou should'st have been with me
Attraverso le stradine le lanterne felici di carta svolazzano
Across the narrow streets the happy lanterns of paper flutter
svolazzano come grandi farfalle
they flutter like large butterflies
Quando soffia il vento salgono e scendono come bolle
When the wind blows they rise and fall like bubbles
Davanti ai loro stand siedono i mercanti

In front of their booths sit the merchants
si siedono su tappeti di seta
they sit on silken carpets
Hanno barbe nere dritte
They have straight black beards
e i loro turbanti sono coperti di paillettes dorate
and their turbans are covered with golden sequins
Contengono fili di ambra e pietre di pesca intagliate
they hold strings of amber and carved peach-stones
e li fanno scivolare attraverso le loro dita fredde
and they glide them through their cool fingers
Alcuni di loro vendono galbano e nardo
Some of them sell galbanum and nard
e alcuni vendono profumi dalle isole del Mar Indiano
and some sell perfumes from the islands of the Indian
Sea
e vendono l'olio denso di rose rosse e mirra
and they sell the thick oil of red roses and myrrh
**e vendono piccoli chiodi di garofano a forma di chiodo
di garofano**
and they sell little nail-shaped cloves
**Quando ci si ferma a parlare con loro si accende
l'incenso**
When one stops to speak to them they light frankincense
ne gettano pizzichi su un braciere a carbone.
they throw pinches of it upon a charcoal brazier
e rende dolce l'aria
and it makes the air sweet
Ho visto un siriano che teneva una verga sottile
I saw a Syrian who held a thin rod
Fili grigi di fumo ne uscivano
grey threads of smoke came from it
e il suo odore era come l'odore delle mandorle rosa

and its odour was like the odour of the pink almonds
Altri vendono braccialetti d'argento
Others sell silver bracelets
bracciali in rilievo con pietre turchesi blu crema
bracelets embossed all over with creamy blue turquoise stones
e cavigliere di filo di ottone orlato di piccole perle
and anklets of brass wire fringed with little pearls
e artigli di tigre incastonati in oro
and tigers' claws set in gold
e gli artigli di quel gatto dorato
and the claws of that gilt cat
Gli artigli dei leopardi, anch'essi incastonati in oro
the the claws of leopards, also set in gold
e orecchini di smeraldo trafitto
and earrings of pierced emerald
e anelli di giada scavata
and finger-rings of hollowed jade
Dalle case da tè proveniva il suono della chitarra
From the tea-houses came the sound of the guitar
e i fumatori di oppio erano nelle case da tè
and the opium-smokers were in the tea-houses
I loro volti bianchi e sorridenti guardano i passanti
their white smiling faces look out at the passers-by
avresti dovuto essere con me
thou should'st have been with me
I venditori di vino si fanno strada a gomitate tra la folla
The wine-sellers elbow their way through the crowd
con grandi pelli nere sulle spalle
with great black skins on their shoulders
La maggior parte di loro vende il vino di Schiraz
Most of them sell the wine of Schiraz
vino dolce come il miele

wine which is as sweet as honey
Lo servono in piccole tazze di metallo
They serve it in little metal cups
Nella piazza del mercato stand i venditori di frutta
In the market-place stand the fruit sellers
Vendono tutti i tipi di frutta
they sell all kinds of fruit
fichi maturi, con la loro polpa viola ammaccata
ripe figs, with their bruised purple flesh
meloni, profumati di muschio e gialli come topazi
melons, smelling of musk and yellow as topazes
cedri e mele rosa e grappoli di uva bianca
citrons and rose-apples and clusters of white grapes
arancio rosso-oro rotondo e limoni ovali di oro verde
round red-gold oranges and oval lemons of green gold
Una volta ho visto passare un elefante
Once I saw an elephant go by
Il suo tronco era dipinto con vermiglio e curcuma
Its trunk was painted with vermilion and turmeric
**e sopra le orecchie aveva una rete di corda di seta
cremisi**
and over its ears it had a net of crimson silk cord
Si fermò di fronte a una delle cabine
It stopped opposite one of the booths
e cominciò a mangiare le arance
and it began eating the oranges
Invece di arrabbiarsi l'uomo rideva solo
instead of getting angry the man only laughed
Non puoi pensare quanto siano strani un popolo
Thou canst not think how strange a people they are
Quando sono contenti vanno dai venditori di uccelli
When they are glad they go to the bird-sellers
vanno da loro per comprare un uccello in gabbia

they go to them to buy a caged bird
e lo liberano perché la loro gioia sia più grande
and they set it free so that their joy may be greater
e quando sono tristi si flagellano con le spine
and when they are sad they scourge themselves with thorns
affinché il loro dolore non diminuisca
so that their sorrow may not grow less

Una sera ho incontrato alcuni
One evening I met some Negroes
Stavano trasportando un pesante palanchino attraverso il bazar
they were carrying a heavy palanquin through the bazaar
Era fatto di bambù dorato
It was made of gilded bamboo
e i pali erano di lacca vermiglio
and the poles were of vermilion lacquer
era costellato di pavoni di ottone
it was studded with brass peacocks
Attraverso le finestre pendevano tende sottili
Across the windows hung thin curtains
Le tende erano ricamate con ali di coleotteri
the curtains were embroidered with beetles' wings
ed erano foderate di minuscole perle di semi
and they were lined with tiny seed-pearls
e mentre passava un circasso pallido mi sorrise
and as it passed by a pale-faced Circassian smiled at me
Li seguivo dietro di loro
I followed behind them
e i affrettarono i loro passi e si rabbuiarono
and the Negroes hurried their steps and scowled

Ma non mi importava
But I did not care
Ho sentito una grande curiosità venire su di me
I felt a great curiosity come over me
Alla fine si fermarono in una casa bianca quadrata
At last they stopped at a square white house
Non c'erano finestre per la casa
There were no windows to the house
la casa aveva solo una piccola porta
the house had only a little door
e la porta era come la porta di una tomba
and the door was like the door of a tomb
Posarono il palanchino e bussarono tre volte con un martello di rame
They set down the palanquin and knocked three times with a copper hammer
Un armeno in un caftano di pelle verde sbirciava attraverso il wicket
An Armenian in a caftan of green leather peered through the wicket
e quando li vide aprì la porta
and when he saw them he opened the door
e stese un tappeto per terra
and he spread a carpet on the ground
e la donna uscì
and the woman stepped out
Mentre entrava, si voltò e mi sorrise di nuovo
As she went in she turned round and smiled at me again
Non avevo mai visto nessuno così pallido
I had never seen anyone so pale
Quando la luna sorse tornai nello stesso posto
When the moon rose I returned to the same place
e ho cercato la casa, ma non c'era più

and I sought for the house, but it was no longer there
Quando l'ho visto sapevo chi era la donna
When I saw that I knew who the woman was
e sapevo perché mi aveva sorriso
and I knew why she had smiled at me
Certamente avresti dovuto essere con me
Certainly thou should'st have been with me

C'era una festa della Luna Nuova
There was a feast of the New Moon
il giovane imperatore uscì dal suo palazzo
the young Emperor came forth from his palace
ed entrò nella moschea per pregare
and he went into the mosque to pray
I suoi capelli e la sua barba erano tinti di foglie di rosa.
His hair and beard were dyed with rose-leaves
e le sue guance erano polverizzate di una polvere d'oro fine
and his cheeks were powdered with a fine gold dust
I palmi dei piedi e delle mani erano gialli di zafferano
The palms of his feet and hands were yellow with saffron
All'alba uscì dal suo palazzo
At sunrise he went forth from his palace
era vestito con una veste d'argento
he was dressed in a robe of silver
e al tramonto tornò di nuovo
and at sunset he returned again
poi fu vestito con una veste d'oro
then he was dressed in a robe of gold
La gente si gettò a terra
The people flung themselves on the ground
hanno nascosto i loro volti, ma io non lo farei

they hid their faces, but I would not do so
Mi sono fermato vicino alla bancarella di un venditore di datteri e ho aspettato
I stood by the stall of a seller of dates and waited
Quando l'imperatore mi vide alzò le sopracciglia dipinte
When the Emperor saw me he raised his painted eyebrows
e si fermò ad osservarmi
and he stopped to observe me
Rimasi abbastanza immobile e non gli feci alcun ossequio.
I stood quite still and made him no obeisance
La gente si meravigliò della mia audacia
The people marvelled at my boldness
Mi consigliarono di fuggire dalla città
they counselled me to flee from the city
ma non ho prestato loro attenzione
but I paid no heed to them
invece andai a sedermi con i venditori di strani dei
instead I went and sat with the sellers of strange gods
a causa del loro mestiere sono abominiati
by reason of their craft they are abominated
Quando ho detto loro quello che avevo fatto, ognuno di loro mi ha dato un idolo
When I told them what I had done each of them gave me an idol
e mi pregarono di lasciarli
and they prayed me to leave them

Quella notte ero nella via dei melograni
That night I was in the Street of Pomegranates
Ero in una casa da tè e mi sono sdraiato su un cuscino

I was in a tea-house and I laid on a cushion
le guardie dell'imperatore entrarono
the guards of the Emperor entered
Mi condussero al palazzo
they led me to the palace
Mentre entravo, hanno chiuso ogni porta dietro di me
As I went in they closed each door behind me
e hanno messo una catena su ogni porta
and they put a chain across each door
All'interno c'era una grande corte
Inside was a great court
Le pareti erano di alabastro bianco
The walls were of white alabaster
L'alabastro era decorato con piastrelle blu e verdi
the alabaster was decorated with blue and green tiles
I pilastri erano di marmo verde
The pillars were of green marble
e il pavimento era di marmo di fiori di pesco
and the pavement was of peach-blossom marble
Non avevo mai visto niente di simile prima
I had never seen anything like it before
Mentre passavo davanti alla corte due donne velate erano su un balcone
As I passed the court two veiled women were on a balcony
Guardarono giù dal loro balcone e mi maledirono
they looked down from their balcony and cursed me
Le guardie si affrettarono ad andare avanti
The guards hastened on
I mozziconi delle lance suonavano sul pavimento lucido
the butts of the lances rang upon the polished floor
Hanno aperto un cancello di avorio battuto

They opened a gate of wrought ivory

e mi sono ritrovato in un giardino innaffiato di sette terrazze

and I found myself in a watered garden of seven terraces

Il giardino è stato piantato con coppe di tulipani e fiori di luna

The garden was planted with tulip-cups and moon-flowers

Una fontana sospesa nell'aria oscura come una sottile canna di cristallo

a fountain hung in the dusky air like a slim reed of crystal

I cipressi erano come torce bruciate

The cypress-trees were like burnt-out torches

Da uno degli alberi un usignolo cantava

From one of the trees a nightingale was singing

Alla fine del giardino sorgeva un piccolo padiglione

At the end of the garden stood a little pavilion

Mentre ci avvicinavamo al padiglione, due eunuchi uscirono per incontrarci

As we approached the pavilion two eunuchs came out to meet us

I loro corpi grassi ondeggiavano mentre camminavano

Their fat bodies swayed as they walked

e mi guardarono incuriositi

and they glanced curiously at me

Uno di loro prese da parte il capitano della guardia

One of them drew aside the captain of the guard

e a bassa voce l'eunuco gli sussurrò

and in a low voice the eunuch whispered to him

L'altro continuava a sgranocchiare pastiglie profumate

The other kept munching scented pastilles

Questi li tirò fuori da una scatola ovale di smalto lilla

these he took out of an oval box of lilac enamel

Dopo pochi istanti il capitano della guardia congedò i soldati

After a few moments the captain of the guard dismissed the soldiers

Tornarono al palazzo

They went back to the palace

Gli eunuchi seguivano lentamente dietro le guardie

the eunuchs followed behind the guards slowly

e strapparono i dolci gelsi dagli alberi

and they plucked the sweet mulberries from the trees

Un tempo l'eunuco più anziano si voltò

at one time the older eunuch turned round

e mi sorrise con un sorriso maligno

and he smiled at me with an evil smile

Poi il capitano delle guardie mi fece cenno di avanzare.

Then the captain of the guards motioned me forwards

Mi avvicinai all'ingresso senza tremare

I walked to the entrance without trembling

Ho tirato da parte la pesante tenda ed sono entrato

I drew the heavy curtain aside and entered

Il giovane imperatore era disteso su un divano di pelli di leone tinte

The young Emperor was stretched on a couch of dyed lion skins

e un falco era appollaiato sul suo polso

and a falcon was perched upon his wrist

Dietro di lui c'era un nubiano con turbante in ottone.

Behind him stood a brass-turbaned Nubian

era nudo fino alla vita

he was naked down to the waist

Aveva orecchini pesanti nelle orecchie spaccate

he had heavy earrings in his split ears

Su un tavolo accanto al divano giaceva una possente scimitarra d'acciaio

On a table by the side of the couch lay a mighty scimitar of steel

Quando l'imperatore mi vide aggrottava le sopracciglia

When the Emperor saw me he frowned

mi chiese: "Qual è il tuo nome?"

he asked me "What is thy name?"

"Non sai tu che io sono imperatore di questa città?"

"Knowest thou not that I am Emperor of this city?"

Ma non gli ho dato alcuna risposta

But I made him no answer

Indicò con il dito la scimitarra

He pointed with his finger at the scimitar

i nubiani se ne impadronirono

the Nubian seized it

Precipitandosi in avanti mi colpì con grande violenza

rushing forward he struck at me with great violence

La lama mi ha attraversato e non mi ha fatto male

The blade whizzed through me and did me no hurt

L'uomo cadde disteso sul pavimento

The man fell sprawling on the floor

quando si alzò i denti chiacchierò di terrore

when he rose up his teeth chattered with terror

e si nascose dietro il divano

and he hid behind the couch

L'imperatore balzò in piedi

The Emperor leapt to his feet

Prese una lancia da un cavalletto e me la lanciò contro

he took a lance from a stand and threw it at me

L'ho catturato nel suo volo

I caught it in its flight

Ho rotto l'albero in due pezzi

I broke the shaft into two pieces

Mi ha sparato con una freccia

He shot at me with an arrow

ma ho alzato le mani e si è fermato a mezz'aria

but I held up my hands and it stopped in mid-air

Poi estrasse un pugnale da una cintura di cuoio bianco.

Then he drew a dagger from a belt of white leather

e pugnalò il nubiano alla gola

and he stabbed the Nubian in the throat

in modo che lo schiavo non raccontasse del suo disonore

so that the the slave would not tell of his dishonour

L'uomo si contorceva come un serpente calpestato

The man writhed like a trampled snake

e una schiuma rossa gorgogliò dalle sue labbra

and a red foam bubbled from his lips

Appena morto l'imperatore si rivolse a me

As soon as he was dead the Emperor turned to me

Si era asciugato il sudore brillante dalla fronte con un tovagliolo di seta viola

he had wiped away the bright sweat from his brow with a little napkin of purple silk

mi disse: "Sei tu un profeta?"

he said to me, "Art thou a prophet?"

"Non posso farti del male?"

"I may not harm thee?"

"O sei il figlio di un profeta?"

"or are you the son of a prophet?"

"E non posso farti del male?"

"and can I do thee no hurt?"

"Ti prego di lasciare la mia città stasera"

"I pray thee leave my city tonight"

"finché tu sei nella mia città io non ne sono più il

signore"

"while thou art in my city I am no longer its lord"

E io gli risposi: "Andrò per metà del tuo tesoro"

And I answered him "I will go for half of thy treasure"

"Dammi metà del tuo tesoro e me ne andrò"

"Give me half of thy treasure and I will go away"

"Mi prese per mano e mi condusse fuori in giardino"

"He took me by the hand and led me out into the garden"

"Quando il capitano della guardia mi vide si meravigliò"

"When the captain of the guard saw me he wondered"

"Quando gli eunuchi mi videro le loro ginocchia tremarono"

"When the eunuchs saw me their knees shook"

"E caddero a terra impauriti"

"and they fell upon the ground in fear"

C'è una camera nel palazzo che ha otto pareti di porfido rosso

There is a chamber in the palace that has eight walls of red porphyry

e un soffitto in scala di ottone appeso con lampade

and a brass-scaled ceiling hung with lamps

L'imperatore toccò una delle mura e si aprì

The Emperor touched one of the walls and it opened

Abbiamo attraversato un corridoio illuminato da molte torce

we passed down a corridor that was lit with many torches

In nicchie su ogni lato c'erano grandi giare di vino

In niches upon each side stood great wine-jars

Le giare di vino erano piene fino all'orlo di pezzi

d'argento
the wine-jars were filled to the brim with silver pieces
abbiamo raggiunto il centro del corridoio
we reached the centre of the corridor
l'imperatore pronunciò la parola che non può essere pronunciata
the Emperor spoke the word that may not be spoken
Una porta di granito tornava indietro su una sorgente segreta
a granite door swung back on a secret spring
e si mise le mani davanti al viso
and he put his hands before his face
in modo che non fosse abbagliato
so that he would not be dazzled
Non avresti creduto a quanto fosse meraviglioso un posto
Thou would not have believed how marvellous a place it was
C'erano enormi gusci di tartaruga pieni di perle
There were huge tortoise-shells full of pearls
e c'erano pietre di luna scavate di grandi dimensioni
and there were hollowed moonstones of great size
Le pietre di luna erano ammucchiate di rubini rossi
the moonstones were piled up with red rubies
L'oro era conservato in casse di pelle di elefante
The gold was stored in coffers of elephant-hide
e c'era polvere d'oro nelle bottiglie di cuoio
and there was gold-dust in leather bottles
C'erano opali e zaffiri
There were opals and sapphires
Gli opali erano in coppe di cristallo
the opals were in cups of crystal
e gli zaffiri erano in coppe di giada

and the sapphires were in cups of jade
Gli smeraldi verdi rotondi erano disposti in ordine
Round green emeralds were arranged in order
erano disposti su sottili lastre d'avorio
they were laid out upon thin plates of ivory
e in un angolo c'erano borse di seta piene di pietre turchesi
and in one corner were silk bags filled some with turquoise-stones
e altre borse erano piene di berilli
and others bags were filled with beryls
Le corna d'avorio erano colme di ametiste viola
The ivory horns were heaped with purple amethysts
e le corna di ottone erano colme di calcedonio e pietre di sarda
and the horns of brass were heaped with chalcedony and sard stones
I pilastri erano fatti di cedro
The pillars were made of cedar
Erano appesi con fili di pietre di lince gialla
they were hung with strings of yellow lynx-stones
Negli scudi ovali piatti c'erano carbonchi
In the flat oval shields there were carbuncles
erano color vino e colorati come l'erba
they were wine-coloured and coloured like grass
Eppure ti ho detto solo una frazione di quello che c'era.
And yet I have told thee but a fraction of what was there

L'imperatore gli tolse le mani davanti al viso
The Emperor took away his hands from before his face
mi disse: "Questa è la mia casa del tesoro"
he said to me "This is my house of treasure"
metà di ciò che è in esso è tua

half that is in it is thine
questo è come ti ho promesso
this is as I promised to thee
E ti darò cammelli e cammelli
And I will give thee camels and camel drivers
ed essi eseguiranno i tuoi ordini
and they shall do thy bidding
Prendi la tua parte del tesoro
take thy share of the treasure
portalo in qualsiasi parte del mondo tu desideri andare
take it to whatever part of the world thou desirest to go
Ma la cosa sarà fatta stasera
But the thing shall be done tonight
Perché il sole è mio padre
because the sun is my father
non deve vedere che c'è un uomo in città che non posso uccidere
he must not see there is a man in the city that I cannot slay
Ma io gli risposi: "L'oro che è qui è tuo"
But I answered him "The gold that is here is thine"
"E anche l'argento è tuo"
"and the silver also is thine"
"e tuoi sono i gioielli preziosi"
"and thine are the precious jewels"
"Quanto a me, non ho bisogno di questi"
"As for me, I have no need of these"
"Non ti toglierò nulla"
"I shall not take anything from thee"
"ma io prenderò il piccolo anello che tu indossi"
"but I will take the little ring that thou wearest"
"è sul dito della tua mano"
"it is on the finger of thy hand"

E l'imperatore aggrottava le sopracciglia
And the Emperor frowned
"Non è che un anello di piombo" gridò.
"It is but a ring of lead" he cried
"Non ha valore per te"
"it has no value for you"
"Prendi la tua metà del tesoro e vattene dalla mia città"
"take thy half of the treasure and go from my city"
"No" ho risposto
"Nay" I answered
"Non prenderò altro che quell'anello di piombo"
"I will take nought but that lead ring"
"perché io so cosa c'è scritto in esso"
"for I know what is written within it"
"e so per quale scopo è"
"and I know for what purpose it is"
E l'imperatore tremò
And the Emperor trembled
mi supplicò e disse: "Prendi tutto il tesoro"
he besought me and said "Take all the treasure"
"Prendilo e vai dalla mia città"
"take it and go from my city"
"La metà che è mia sarà anche tua"
"The half that is mine shall be thine also"

E ho fatto una cosa strana
And I did a strange thing
ma quello che ho fatto non importa
but what I did matters not
perché c'è una grotta che è solo un giorno di viaggio da qui
because there is a cave that is but a day's journey from here

in quella grotta ho nascosto l'Anello delle Ricchezze

in that cave I have hidden the Ring of Riches

attende la tua venuta

it waits for thy coming

Colui che ha questo Anello è più ricco di tutti i re del mondo

He who has this Ring is richer than all the kings of the world

Vieni e prendilo, e le ricchezze del mondo saranno tue

Come and take it, and the world's riches shall be thine

Ma il giovane pescatore rise

But the young Fisherman laughed

"L'amore è meglio della ricchezza" gridò.

"Love is better than riches" he cried

"e la sirenetta mi ama"

"and the little Mermaid loves me"

"No, ma non c'è niente di meglio delle ricchezze" disse l'Anima.

"Nay, but there is nothing better than riches" said the Soul

"L'amore è meglio" rispose il giovane pescatore

"Love is better" answered the young Fisherman

e si tuffò nel profondo

and he plunged into the deep

e l'Anima andò piangendo via per le paludi

and the Soul went weeping away over the marshes

Dopo il terzo anno
After the Third Year

Dopo la fine del terzo anno l'Anima è tornata
After the third year was over the the Soul came back
tornò giù sulla riva del mare
he came back down to the shore of the sea
e chiamò il giovane Pescatore
and he called to the young Fisherman
ed egli si levò dal profondo
and he rose out of the deep
ed egli disse: «Perché mi chiami?»
and he said "Why dost thou call to me?"
E l'Anima rispose: "Avvicinati"
And the Soul answered "Come nearer"
"avvicinati perché io possa parlare con te"
"come nearer so that I may speak with thee"
"perché ho visto cose meravigliose"
"because I have seen marvellous things"
Così si avvicinò
So he came nearer
e si addormentò nell'acqua bassa
and he couched in the shallow water
e appoggiò la testa sulla sua mano
and he leaned his head upon his hand
e ascoltò la sua anima
and he listened to his soul
E l'Anima gli parlò
And the Soul spoke to him

In una città che conosco c'è una locanda
In a city that I know of there is an inn
si trova vicino a un fiume

it stands by a river
Mi sono seduto lì con i marinai
I sat there with sailors
marinai che bevevano due vini di colore diverso
sailors who drank two different coloured wines
e mangiarono pane fatto d'orzo
and they ate bread made of barley
e ho mangiato pesciolini salati
and I ate salty little fish
Piccoli pesci che venivano serviti in foglie di alloro con aceto
little fish that were served in bay leaves with vinegar
Mentre ci sedevamo e facevamo festa entrò un vecchio
as we sat and made merry an old man entered
Aveva con sé un tappeto di pelle
he had a leather carpet with him
e aveva un liuto che aveva due corna d'ambra
and he had a lute that had two horns of amber
Ha steso il tappeto sul pavimento
he laid out the carpet on the floor
e colpì le corde del suo liuto
and he struck on the strings of his lute
e una ragazza corse dentro e cominciò a ballare davanti a noi
and a girl ran in and began to dance before us
Il suo volto era velato da un velo di garza
Her face was veiled with a veil of gauze
ma i suoi piedi erano nudi
but her feet were naked
e si muovevano sul tappeto come piccoli piccioni bianchi
and they moved over the carpet like little white pigeons
Non ho mai visto nulla di così meraviglioso

Never have I seen anything so marvellous

La città dove balla è solo un giorno di viaggio da qui

the city where she dances is but a day's journey from here

il giovane Pescatore udì le parole della sua anima

the young Fisherman heard the words of his soul

si ricordò che la sirenetta non aveva piedi

he remembered that the little Mermaid had no feet

e si ricordò che non era in grado di ballare

and he remembered she was unable to dance

Un grande desiderio venne su di lui

a great desire came over him

disse a se stesso: "Non è che un giorno di viaggio"

he said to himself, "It is but a day's journey"

"E allora potrò tornare al mio amore", disse ridendo.

"and then I can return to my love," he laughed

Si alzò in piedi nell'acqua bassa

he stood up in the shallow water

e si diresse verso la riva

and he strode towards the shore

Quando ebbe raggiunto la riva asciutta rise di nuovo

when he had reached the dry shore he laughed again

e tese le braccia alla sua Anima

and he held out his arms to his Soul

la sua Anima ha dato un grande grido di gioia

his Soul gave a great cry of joy

e la sua anima gli corse incontro

and his soul ran to meet him

e la sua anima entrò in lui

and his soul entered into him

il giovane Pescatore divenne tutt'uno con la sua ombra sulla sabbia

the young Fisherman became one with his shadow on

the sand

l'ombra del corpo che è il corpo dell'Anima

the shadow of the body that is the body of the Soul

E la sua Anima gli disse: "Non indugiamo"

And his Soul said to him "Let us not tarry"

Cominciamo subito

let us get going at once

perché gli dei del mare sono gelosi

because the Sea-gods are jealous

e hanno mostri che eseguono i loro ordini

and they have monsters that do their bidding

Così si affrettarono a raggiungere la città

So they made haste to get to the city

Peccato / Sin

Per tutta quella notte viaggiarono sotto la luna
all that night they journeyed beneath the moon
e tutto il giorno dopo viaggiarono sotto il sole
and all the next day they journeyed beneath the sun
e la sera del giorno vennero in una città
and on the evening of the day they came to a city
il giovane Pescatore chiese alla sua Anima
the young Fisherman asked his Soul
"È questa la città in cui balla?"
"Is this the city in which she dances?"
E la sua Anima gli rispose
And his Soul answered him
"Non è questa città, ma un'altra"
"It is not this city, but another"
"Tuttavia, entriamo in questa città"
"Nevertheless, let us enter this city"
Così entrarono in città e passarono per le strade
So they entered the city and passed through the streets
Passarono per la via dei gioiellieri
they passed through the street of jewellers
Mentre attraversavano la strada, il giovane pescatore vide una coppa d'argento
as they passed through the street the young fisherman saw a silver cup
E la sua Anima gli disse: "Prendi quella coppa d'argento"
And his Soul said to him "Take that silver cup"
e la sua anima gli disse di nascondere la coppa d'argento
and his soul told him to hide the silver cup
Così prese la coppa e la nascose
So he took the cup and hid it

e andarono in fretta fuori dalla città
and they went hurriedly out of the city
il giovane pescatore aggrottava le sopracciglia e gettò via la coppa
the young Fisherman frowned and flung the cup away
e chiese alla sua Anima
and he asked his Soul
"Perché mi hai detto di prendere questo calice?"
"Why did'st thou tell me to take this cup?"
"È stata una cosa malvagia da fare"
"it was an evil thing to do"
Ma la sua Anima gli diceva solo di essere in pace
But his Soul only told him to be at peace

La sera del secondo giorno arrivarono in una città
on the evening of the second day they came to a city
il giovane Pescatore chiese alla sua Anima
the young Fisherman asked his Soul
"È questa la città in cui balla"
"Is this the city in which she dances"
E la sua Anima gli rispose
And his Soul answered him
"Non è questa città, ma un'altra"
"It is not this city, but another"
"Comunque entriamo"
"Nevertheless let us enter"
Così entrarono e passarono per le strade
So they entered in and passed through the streets
Sono passati per la strada dei venditori di sandali
they passed through the street of sandal sellers
mentre attraversavano la strada il giovane pescatore vide un bambino
as they passed through the Street the young Fisherman

saw a child

era in piedi vicino a un barattolo d'acqua

it was standing by a jar of water

la sua Anima gli disse di colpire il bambino

his Soul told him to smite the child

Così colpì il bambino fino a farlo piangere.

So he smote the child till it wept

e quando ebbe fatto questo, essi uscirono in fretta dalla città.

and when he had done this they went hurriedly out of the city

dopo che se ne furono andati, il giovane Pescatore si arrabbiò

after they had left the young Fisherman grew angry

"Perché mi hai detto di colpire il bambino?"

"Why did'st thou tell me to smite the child?"

"È stata una cosa malvagia da fare"

"it was an evil thing to do"

Ma la sua Anima gli diceva solo di essere in pace

But his Soul only told him to be at peace

E la sera del terzo giorno arrivarono in una città

And on the evening of the third day they came to a city

il giovane Pescatore chiese alla sua Anima

the young Fisherman asked his Soul

"È questa la città in cui balla?"

"Is this the city in which she dances?"

E la sua Anima gli rispose

And his Soul answered him

"Può darsi che sia questa città, quindi entriamo"

"It may be that it is this city, so let us enter"

Così entrarono e passarono per le strade

So they entered in and passed through the streets

ma da nessuna parte il giovane pescatore poteva
trovare il fiume
but nowhere could the young Fisherman find the river
e non riusciva a trovare nemmeno la locanda
and he couldn't find the inn either
E la gente della città lo guardava incuriosita
And the people of the city looked curiously at him
e si spaventò e chiese alla sua anima di andarsene
and he grew afraid and asked his soul to leave
"Colei che danza con i piedi bianchi non è qui"
"she who dances with white feet is not here"
Ma la sua Anima rispose: "No, ma lasciateci riposare".
But his Soul answered "Nay, but let us rest"
"Perché la notte è buia"
"because the night is dark"
"E ci saranno ladri sulla strada"
"and there will be robbers on the way"
Così lo fece sedere nella piazza del mercato e si riposò
So he sat him down in the market-place and rested
e dopo un po' passò un mercante incappucciato
and after a time a hooded merchant walked past
aveva un mantello di stoffa di Tartaria
he had a cloak of cloth of Tartary
e portava una lanterna di corno trafitto
and he carried a lantern of pierced horn
il mercante chiese: "Perché ti siedi nella piazza del
mercato?"
the merchant asked "Why dost thou sit in the market-
place?"
"Le cabine sono chiuse e le balle cablate"
"the booths are closed and the bales corded"
E il giovane Pescatore gli rispose
And the young Fisherman answered him

"**Non riesco a trovare nessuna locanda in questa città**"
"I can find no inn in this city"
"**Non ho parenti che possano darmi rifugio**"
"I have no kinsman who might give me shelter"
"**Non siamo tutti parenti?**" **disse il mercante.**
"Are we not all kinsmen?" said the merchant
"**E un solo Dio non ci ha fatti?**"
"And did not one God make us?"
"**Vieni con me, perché ho una camera per gli ospiti**"
"come with me, for I have a guest-chamber"
Così il giovane Pescatore si alzò e seguì il mercante
So the young Fisherman rose up and followed the
merchant
Passarono attraverso un giardino di melograni
they passed through a garden of pomegranates
ed entrarono in casa
and they entered into the house
**Il mercante gli portò l'acqua di rose in un piatto di
rame**
the merchant brought him rose-water in a copper dish
in modo che potesse lavarsi le mani
so that he could wash his hands
e gli portò meloni maturi
and he brought him ripe melons
in modo che potesse placare la sua sete
so that he could quench his thirst
e gli diede una ciotola di riso
and he gave him a bowl of rice
nella ciotola di riso c'era l'agnello arrosto
in the bowl of rice was roasted lamb
in modo che potesse soddisfare la sua fame
so that he could satisfy his hunger
Dopo aver finito, il mercante lo condusse nella camera

degli ospiti
after he had finished the merchant led him to the guest-
chamber
e lo lasciò dormire
and he let him sleep
il giovane Pescatore gli ringraziò
the young Fisherman gave him thanks
e baciò l'anello che aveva in mano
and he kissed the ring that was on his hand
Si gettò sui tappeti di pelo di capra tinto
he flung himself down on the carpets of dyed goat's-hair
E quando si tirò la coperta addosso si addormentò
And when pulled the blanket over himself he fell asleep

Mancavano tre ore all'alba
it was three hours before dawn
mentre era ancora notte la sua Anima lo svegliò
while it was still night his Soul waked him
la sua anima gli disse di alzarsi
his soul told him to rise
"Alzati e vai nella stanza del mercante"
"Rise up and go to the room of the merchant"
"Vai nella stanza in cui dorme"
"go to the room in which he sleeps"
"Uccidilo nel sonno"
"slay him in his sleep"
"Prendi il suo oro da lui"
"take his gold from him"
"perché ne abbiamo bisogno"
"because we have need of it"
E il giovane pescatore si sollevò
And the young Fisherman rose up
e strisciò verso la stanza del mercante

and he crept towards the room of the merchant

C'era una spada ricurva ai piedi del mercante

there was a curved sword at the feet of the merchant

e c'era il vassoio al fianco del mercante

and there was the tray by the side of the merchant

conteneva nove borse d'oro

it held nine purses of gold

E allungò la mano e toccò la spada

And he reached out his hand and touched the sword

e quando lo toccò il mercante si svegliò

and when he touched it the merchant woke up

balzò in piedi e afferrò la spada.

he leapt up and seized the sword

"Restituisci il male per il bene?"

"Dost thou return evil for good?"

"Paghi con lo spargimento di sangue?"

"do you pay with the shedding of blood?"

"in cambio della gentilezza che ti ho mostrato?"

"in return for the kindness that I have shown thee?"

E la sua Anima disse al giovane Pescatore: "Colpiscilo"

And his Soul said to the young Fisherman "Strike him"

e lo colpì in modo che svenisse

and he struck him so that he swooned

Si impadronì delle nove borse d'oro

he seized the nine purses of gold

e fuggì frettolosamente attraverso il giardino dei melograni

and he fled hastily through the garden of pomegranates

e mise la faccia alla stella del mattino

and he set his face to the star of morning

Quando lasciarono la città il giovane pescatore si batté il petto

When they had left the city the young Fisherman beat

his breast

"Perché mi hai ordinato di uccidere il mercante?"

"Why didst thou bid me slay the merchant?"

"Perché mi hai fatto prendere il suo oro?"

"why did you make me take his gold?"

"Certamente tu sei malvagio"

"Surely thou art evil"

Ma la sua Anima gli disse di essere in pace

But his Soul told him to be at peace

"No" gridò il giovane pescatore

"No" cried the young Fisherman

"Non posso essere in pace"

"I can not be at peace"

"tutto quello che mi hai fatto fare io odio"

"all that thou hast made me do I hate"

"Anch'io ti odio"

"I also hate you"

"Perché mi hai portato qui per fare queste cose?"

"why have you brought me here to do these things?"

E la sua Anima gli rispose

And his Soul answered him

"Quando mi hai mandato nel mondo non mi hai dato cuore"

"When you sent me into the world you gave me no heart"

"così ho imparato a fare tutte queste cose"

"so I learned to do all these things"

"e ho imparato ad amare queste cose"

"and I learned to love these things"

"Che dici?" mormorò il giovane pescatore.

"What sayest thou?" murmured the young Fisherman

"Tu sai" rispose la sua Anima

"Thou knowest" answered his Soul

"Hai dimenticato che non mi hai dato cuore?"
"Have you forgotten that you gave me no heart?"
"Non preoccuparti per me, ma sii in pace"
"don't trouble yourself for me, but be at peace"
"Perché non c'è dolore che non dovresti dare via"
"because there is no pain you shouldn't give away"
"E non c'è piacere che tu non debba ricevere"
"and there is no pleasure that you should not receive"
quando il giovane pescatore udì queste parole tremò.
when the young Fisherman heard these words he
trembled
"No, ma tu sei malvagio"
"Nay, but thou art evil"
"Mi hai fatto dimenticare il mio amore"
"you have made me forget my love"
"Mi hai tentato con le tentazioni"
"you have tempted me with temptations"
"E tu hai messo i miei piedi nelle vie del peccato"
"and you have set my feet in the ways of sin"
E la sua Anima gli rispose
And his Soul answered him
"Non hai dimenticato?"
"you have not forgotten?"
"Mi hai mandato nel mondo senza cuore"
"you sent me into the world with no heart"
"Vieni, andiamo in un'altra città"
"Come, let us go to another city"
"E facciamo festa"
"and let us make merry"
"Abbiamo nove borse d'oro"
"we have nine purses of gold"
Ma il giovane pescatore prese le nove borse d'oro
But the young Fisherman took the nine purses of gold

e gettò le borse d'oro nella sabbia

and he flung the purses of gold into the sand

e calpestò le borse d'oro

and he trampled on the on the purses of gold

"No" gridò alla sua anima

"Nay" he cried to his soul

"Non avrò nulla a che fare con te"

"I will have nought to do with thee"

"Non viaggerò con te da nessuna parte"

"I will not journey with thee anywhere"

"come ti ho mandato via prima di mandarti via ora"

"just as I have sent thee away before I will send thee away now"

"Perché tu non mi hai portato nulla di buono"

"because thou hast brought me no good"

E voltò le spalle alla luna

And he turned his back to the moon

Teneva in mano il coltellino che aveva il manico della pelle di vipera verde

he held the little knife that had the handle of green viper's skin

e si sforzò di tagliare dai suoi piedi quell'ombra del corpo

and he strove to cut from his feet that shadow of the body

l'ombra del corpo, che è il corpo dell'Anima

the shadow of the body, which is the body of the Soul

Eppure la sua Anima non si mosse da lui

Yet his Soul stirred not from him

e non prestò attenzione al suo comando

and it paid no heed to his command

"L'incantesimo che la Strega ti ha detto non serve più"

"The spell the Witch told thee avails no more"

"Non posso lasciarti"

"I may not leave thee"

"E tu non puoi cacciarmi"

"and thou can't drive me forth"

"Una volta nella sua vita possa un uomo mandare via la sua Anima"

"Once in his life may a man send his Soul away"

"ma chi ririceve la sua Anima la conservi per sempre"

"but he who receives back his Soul must keep it for ever"

"Questa è la sua punizione e la sua ricompensa"

"this is his punishment and his reward"

il giovane Pescatore impallidì

the young Fisherman grew pale

e strinse le mani e pianse

and he clenched his hands and cried

Era una falsa strega per non avermelo detto

She was a false Witch for not telling me

"No", rispose la sua Anima, "non era una falsa strega".

"Nay," answered his Soul, "she was not a false witch"

"ma ella era fedele a Colui che adora"

"but she was true to Him she worships"

"E lei sarà sua serva per sempre"

"and she will be his servant forever"

il giovane Pescatore sapeva che non poteva liberarsi di nuovo della sua Anima

the young Fisherman knew he could not get rid of his Soul again

sapeva ora che era un'anima malvagia

he knew now that it was an evil Soul

e la sua anima sarebbe rimasta sempre con lui

and his soul would abide with him always

Quando seppe questo, cadde a terra e pianse

when he knew this he fell upon the ground and wept

Il cuore / The Heart

quando fu giorno il giovane Pescatore si alzò
when it was day the young Fisherman rose up
disse alla sua Anima "Mi legherò le mani"
he told his Soul "I will bind my hands"
"in questo modo non posso eseguire i tuoi ordini"
"that way I can not do thy bidding"
"e chiuderò le labbra"
"and I will close my lips"
"in questo modo non posso pronunciare le tue parole"
"that way I can not speak thy words"
"e tornerò nel luogo dove vive il mio amore"
"and I will return to the place where where my love
lives"
"al mare tornerò"
"to the sea will I return"
"Tornerò dove mi ha cantato"
"I will return to where she sung to me"
"e io la chiamerò"
"and I will call to her"
"Le dirò il male che ho fatto"
"I will tell her the evil I have done"
"e io le dirò il male che hai fatto su di me"
"and I will tell her the evil thou hast wrought on me"
la sua Anima lo tentò
his Soul tempted him
"Chi è il tuo amore?"
"Who is thy love?"
"Perché dovresti tornare da lei?"
"why should thou return to her?"
"Il mondo ha molti più giusti di lei"
"The world has many fairer than she is"

"Ci sono le ballerine di Samaris"

"There are the dancing-girls of Samaris"

"Ballano come ballano gli uccelli"

"they dance the way birds dance"

"e danzano come danzano le bestie"

"and they dance the way beasts dance"

"I loro piedi sono dipinti con l'henné"

"Their feet are painted with henna"

"e nelle loro mani hanno piccole campane di rame"

"and in their hands they have little copper bells"

"Ridono mentre ballano"

"They laugh while they dance"

"e la loro risata è chiara come la risata dell'acqua"

"and their laughter is as clear as the laughter of water"

"Vieni con me e te li mostrerò"

"Come with me and I will show them to thee"

"Perché che cos'è questo tuo turbamento riguardo alle cose del peccato?"

"For what is this trouble of thine about the things of sin?"

"Ciò che è piacevole da mangiare non è fatto per chi mangia?"

"Is that which is pleasant to eat not made for the eater?"

"C'è veleno in ciò che è dolce da bere?"

"Is there poison in that which is sweet to drink?"

"Non preoccuparti, ma vieni con me in un'altra città"

"Trouble not thyself, but come with me to another city"

"C'è una piccola città con un giardino di tulipani"

"There is a little city with a garden of tulip-trees"

"Nel suo giardino ci sono pavoni bianchi"

"in its garden there are white peacocks"

"E ci sono pavoni che hanno il seno blu"

"and there are peacocks that have blue breasts"

"Le loro code sono come dischi d'avorio"

"Their tails are like disks of ivory"

"quando allargano la coda al sole"

"when they spread their tails in the sun"

"E colei che li nutre danza per il loro piacere"

"And she who feeds them dances for their pleasure"

"e a volte balla sulle sue mani"

"and sometimes she dances on her hands"

"e altre volte danza con i piedi"

"and at other times she dances with her feet"

"I suoi occhi sono colorati di stibio"

"Her eyes are coloured with stibium"

"e le sue narici hanno la forma delle ali di una rondine"

"and her nostrils are shaped like the wings of a swallow"

"Ride mentre balla"

"She laughs while she dances"

"e gli anelli d'argento sulle caviglie anulano"

"and the silver rings on her ankles ring"

"Non disturbarti più"

"Don't trouble thyself any more"

"Vieni con me in questa città"

"come with me to this city"

Ma il giovane Pescatore non rispose alla sua Anima

But the young Fisherman did not answer his Soul

Chiuse le labbra con il sigillo del silenzio

he closed his lips with the seal of silence

e si legò le mani con una corda tesa

and he bound his own hands with a tight cord

e tornò da dove era venuto

and he journeyed back to from where he had come

Tornò alla piccola baia

he journeyd back to the little bay

e viaggiò dove il suo amore aveva cantato per lui

and he journeyed to where his love had sung for him

La sua anima cercò di tentarlo lungo la strada
His Soul tried to tempt him along the way
ma non rispose alla sua anima
but he made his soul no answer
e non avrebbe fatto nulla della malvagità della sua anima
and he would do none of his soul's wickedness
così grande era la potenza dell'amore che era dentro di lui
so great was the power of the love that was within him
Quando raggiunse la riva sciolse la corda
when he reached the shore he loosed the cord
e prese il sigillo del silenzio dalle sue labbra
and he took the seal of silence from his lips
chiamò la sirenetta
he called to the little Mermaid
Ma lei rispose alla sua chiamata per lei.
But she did answer his call for her
Lei non rispose anche se lui chiamò tutto il giorno
she did not answer although he called all day

la sua Anima lo derideva
his Soul mocked him
"Hai poca gioia dal tuo amore"
"you have little joy out of thy love"
"Stai versando acqua in un recipiente rotto"
"you are pouring water into a broken vessel"
"Hai dato via quello che avevi"
"you have given away what you had"
"Ma nulla ti è stato dato in cambio"
"but nothing has been given to you in return"
"Sarebbe meglio se venissi con me"
"It would be better if you came with me"

"perché so dove si trova la Valle del Piacere"
"because I know where the Valley of Pleasure lies"
Ma il giovane Pescatore non rispose alla sua Anima
But the young Fisherman did not answer his Soul
In una fenditura della roccia si costruì una casa
in a cleft of the rock he built himself a house
e vi rimase per lo spazio di un anno
and he abode there for the space of a year
ogni mattina chiamava la Sirena
every morning he called to the Mermaid
Ogni mezzogiorno la chiamava di nuovo
every noon he called to her again
e di notte pronunciò il suo nome
and at night-time he spoke her name
ma non si alzò mai dal mare per incontrarlo
but she never rose out of the sea to meet him
e non riusciva a trovarla da nessuna parte nel mare
and he could not find her anywhere in the sea
la cercò nelle caverne
he sought for her in the caves
la cercò nell'acqua verde
he sought for her in the green water
la cercò nelle pozze della marea
he sought for her in the pools of the tide
e la cercò nei pozzi che sono in fondo al profondo
and he sought for her in the wells that are at the bottom
of the deep
la sua Anima non smise di tentarlo con il male
his Soul didn't stop tempting him with evil
e sussurrava cose terribili
and it whispered terrible things
ma la sua Anima non poteva prevalere contro di lui
but his Soul could not prevail against him

la potenza del suo amore era troppo grande
the power of his love was too great

finito l'Anima pensò dentro di sé
after the year was over the Soul thought within himself
"Ho tentato il mio padrone con il male"
"I have tempted my master with evil"
"ma il suo amore è più forte di me"
"but his love is stronger than I am"
"Lo tenterò ora con il bene"
"I will tempt him now with good"
"Può darsi che venga con me"
"it may be that he will come with me"
Così parlò al giovane pescatore
So he spoke to the young Fisherman
"Ti ho parlato della gioia del mondo"
"I have told thee of the joy of the world"
"E tu mi hai fatto orecchie da mercante"
"and thou hast turned a deaf ear to me"
"Permettimi di parlarti del dolore del mondo"
"allow me to tell thee of the world's pain"
"E può darsi che tu ascolti"
"and it may be that you will listen"
"perché il dolore è il Signore di questo mondo"
"because pain is the Lord of this world"
"E non c'è nessuno che sfugga alla sua rete"
"and there is no one who escapes from its net"
"Ci sono alcuni che mancano di vestiti"
"There be some who lack raiment"
"E ci sono altri che mancano di pane"
"and there are others who lack bread"
"Ci sono vedove che siedono in viola"
"There are widows who sit in purple"

"E ci sono alcune vedove che siedono in stracci"
"and there are some widows who sit in rags"
"I mendicanti vanno su e giù per le strade"
"The beggars go up and down on the roads"
"e le loro tasche sono vuote"
"and their pockets are empty"
"Per le strade delle città cammina la carestia"
"Through the streets of the cities walks famine"
"E la peste siede alle loro porte"
"and the plague sits at their gates"
"Venite, andiamo avanti e ripariamo queste cose"
"Come, let us go forth and mend these things"
"Facciamo in modo che queste cose siano diverse"
"let us make these things be different"
"Perché dovresti aspettare qui chiamando il tuo amore?"
"why should you wait here calling to thy love?"
"Lei non verrà alla tua chiamata"
"she will not come to your call"
"E cos'è l'amore?"
"And what is love?"
"E perché lo apprezzi così tanto?"
"And why do you value it so highly?"
Ma il giovane pescatore non rispose alla sua anima
But the young Fisherman didn't answer his soul
così grande era la potenza del suo amore
so great was the power of his love
E ogni mattina chiamava la Sirena
And every morning he called to the Mermaid
e ogni mezzogiorno la chiamava di nuovo
and every noon he called to her again
e di notte pronunciò il suo nome
and at night-time he spoke her name

Eppure non si alzò mai dal mare per incontrarlo
Yet never did she rise out of the sea to meet him
né in nessun luogo del mare poteva trovarla
nor in any place of the sea could he find her
anche se la cercava nei fiumi del mare
though he sought for her in the rivers of the sea
e nelle valli che sono sotto le onde
and in the valleys that are under the waves
nel mare che la notte rende viola
in the sea that the night makes purple
e nel mare che l'alba lascia grigia
and in the sea that the dawn leaves grey

dopo la fine del secondo anno
after the second year was over
l'Anima parlava al giovane Pescatore di notte
the Soul spoke to the young Fisherman at night-time
mentre sedeva da solo nella casa di Wattled
as he sat in the wattled house alone
"Ti ho tentato con il male"
"I have tempted thee with evil"
"e io ti ho tentato con il bene"
"and I have tempted thee with good"
"e il tuo amore è più forte di me"
"and thy love is stronger than I am"
"Non ti tenterò più"
"I will tempt thee no longer"
"Ma ti prego, permettimi di entrare nel tuo cuore"
"but please allow me to enter thy heart"
"perché io sia una cosa sola con te come prima"
"so that I may be one with thee as before"
"Certamente tu puoi entrare" disse il giovane pescatore
"Surely thou mayest enter" said the young Fisherman

"Perché quando non avevi cuore dovevi aver sofferto"
"because when you had no heart you must have suffered"
"Ahimè!" gridò la sua Anima
"Alas!" cried his Soul
"Non riesco a trovare un posto d'ingresso"
"I can find no place of entrance"
"Così avvolto d'amore è questo tuo cuore"
"so compassed about with love is this heart of thine"
"Vorrei poterti aiutare" disse il giovane pescatore.
"I wish that I could help thee" said the young Fisherman
Mentre parlava venne un grande grido di lutto dal mare
as he spoke there came a great cry of mourning from the sea
il grido che gli uomini sentono quando uno dei Sea-folk è morto
the cry that men hear when one of the Sea-folk is dead
il giovane Pescatore balzò in piedi e uscì di casa
the young Fisherman leapt up and left his house
e corse giù verso la riva
and he ran down to the shore
le onde nere arrivarono precipitosamente verso la riva
the black waves came hurrying to the shore
Le onde portavano un fardello più bianco dell'argento
the waves carried a burden that was whiter than silver
era bianco come il surf
it was as white as the surf
e si gettò sulle onde come un fiore
and it tossed on the waves like a flower
E il surf lo ha preso dalle onde
And the surf took it from the waves
e la schiuma lo ha preso dal surf

and the foam took it from the surf
e la riva lo ricevette
and the shore received it
ai suoi piedi giaceva il corpo della sirenetta
lying at his feet was the body of the little Mermaid
Lei giaceva morta ai suoi piedi
She was lying dead at his feet
Si gettò accanto a lei e pianse
he flung himself beside her and wept
e le baciò il rosso freddo della bocca
and he kissed the cold red of her mouth
e accarezzò l'ambra bagnata dei suoi capelli
and he stroked the wet amber of her hair
piangeva come qualcuno che tremava di gioia
he wept like someone trembling with joy
tra le sue braccia brune la teneva al petto
in his brown arms he held her to his breast
Fredde erano le labbra, eppure le baciò
Cold were the lips, yet he kissed them
Salato era il miele dei suoi capelli
Salty was the honey of her hair
eppure lo assaporò con amara gioia
yet he tasted it with a bitter joy
Baciò le palpebre chiuse
He kissed the closed eyelids
**Lo spruzzo selvaggio che giaceva su di lei era meno
sale delle sue lacrime**
the wild spray that lay upon her was less salt than his
tears
Alla sirenetta morta fece una confessione
to the dead little mermaid he made a confession
**Nei gusci delle sue orecchie versò il vino aspro del suo
racconto**

Into the shells of her ears he poured the harsh wine of his tale

Si mise le manine intorno al collo

He put the little hands round his neck

e con le dita toccò la sottile canna della sua gola

and with his fingers he touched the thin reed of her throat

La sua gioia era amara e il suo dolore era pieno di una strana gioia.

his joy was bitter and his pain was full of a strange gladness

Il Mar Nero si avvicinò

The black sea came nearer

e la schiuma bianca gemeva come un lebbroso

and the white foam moaned like a leper

il mare afferrato sulla riva Con artigli bianchi di schiuma

the sea grabbed at the shore With white claws of foam

Dal palazzo del Re del Mare giunse di nuovo il grido di lutto

From the palace of the Sea-King came the cry of mourning again

e lontano sul mare i grandi Tritoni soffiavano rauchi sulle loro corna

and far out upon the sea the great Tritons blew hoarsely upon their horns

"Fuggi via" disse la sua Anima

"Flee away" said his Soul

"Se il mare si avvicina ti ucciderà"

"if the sea comes nearer it will slay thee"

"Per favore, andiamocene, perché ho paura"

"please let us leave, for I am afraid"

"Perché il tuo cuore è chiuso contro di me"

"because thy heart is closed against me"

"Per la grandezza del tuo amore fuggi in un luogo sicuro"

"out of the greatness of thy love flee away to a place of safety"

"Sicuramente non mi manderesti in un altro mondo senza cuore?"

"Surely you would not send me into another world without a heart?"

Ma il giovane Pescatore non ascoltò la sua Anima

But the young Fisherman did not listen to his Soul

ma chiamò la sirenetta

but he called on the little Mermaid

e ha detto: "L'amore è meglio della saggezza"

and he said "Love is better than wisdom"

"L'amore è più prezioso della ricchezza"

"love is more precious than riches"

"e l'amore è più bello dei piedi delle figlie degli uomini"

"and love fairer than the feet of the daughters of men"

"I fuochi non possono distruggere l'amore"

"The fires cannot destroy love"

"Le acque non possono spegnere l'amore"

"the waters cannot quench love"

"Ti ho chiamato all'alba"

"I called on thee at dawn"

"E tu non sei venuto alla mia chiamata"

"and thou didst not come to my call"

"La luna udì il tuo nome"

"The moon heard thy name"

"Ma la luna non mi ha risposto"

"but the moon didn't answer me"

"Ti ho lasciato per fare il male"

"I left thee to do evil"

"e ho sofferto per quello che ho fatto"

"and I have suffered for what I've done"

"Ma il mio amore per te non mi ha mai lasciato"

"but my love for you has never left me"

"e il mio amore è sempre stato forte"

"and my love was always strong"

"Nulla ha prevalso contro il mio amore"

"nothing prevailed against my love"

"anche se ho guardato il male"

"though I have looked upon evil"

"e ho guardato bene"

"and I have looked upon good"

"E ora che tu sei morto, certamente morirò anch'io con te"

"And now that thou are dead, surely I will also die with thee"

la sua Anima lo pregò di andarsene

his Soul begged him to depart

ma non volle andarsene, tanto grande era il suo amore

but he would not leave, so great was his love

il mare si avvicinò

the sea came nearer

e il mare cercò di coprirlo con le sue onde

and the sea sought to cover him with its waves

e quando seppe che la fine era vicina baciò le labbra fredde della Sirena

and when he knew that the end was at hand he kissed the cold lips of the Mermaid

e il cuore che era dentro di lui si spezzò

and the heart that was within him broke

dalla pienezza del suo amore il suo cuore si spezzò

from the fullness of his love his heart did break

l'Anima trovò un ingresso ed entrò in
the Soul found an entrance and entered in
e la sua Anima era tutt'uno con lui proprio come prima
and his Soul was one with him just like before
E il mare coprì il giovane Pescatore con le sue onde
And the sea covered the young Fisherman with its
waves

Benedizioni / Blessings

al mattino il sacerdote uscì per benedire il mare
in the morning the Priest went forth to bless the sea
perché il sacerdote era stato turbato
because the priest had been troubled
I monaci e i musicisti andarono con lui
the monks and the musicians went with him
e anche i candelieri vennero con il sacerdote
and the candle-bearers came with the priest too
e gli scambisti di turiboli vennero con il sacerdote
and the swingers of censers came with the priest
e una grande compagnia di persone lo seguì
and a great company of people followed him
quando il Sacerdote raggiunse la riva vide il giovane Pescatore
when the Priest reached the shore he saw the young Fisherman
giaceva annegato nella risacca
he was lying drowned in the surf
e stretto tra le sue braccia c'era il corpo della sirenetta
and clasped in his arms was the body of the little Mermaid
E si tirò indietro accigliato
And he drew back frowning
Si fece il segno della croce ed esclamò ad alta voce:
he made the sign of the cross and exclaimed aloud:
"Non benedirò il mare né nulla di ciò che è in esso"
"I will not bless the sea nor anything that is in it"
"Maledetto sia il popolo del mare"
"Accursed be the Sea-folk"
"e maledetti siano tutti coloro che trafficano con loro"
"and accursed be all they who traffic with them"

"**E quanto al giovane pescatore, ha abbandonato Dio per amore**"
"And as for the young fisherman, he forsook God for the sake of love"
"**E così giace qui con il suo amante**"
"and he so lays here with his lover"
"**e fu ucciso dal giudizio di Dio**"
"and he was slain by God's judgement"
"**Prendi il suo corpo e il corpo del suo amante**"
"take up his body and the body of his lover"
"**seppellirli nell'angolo del Campo**"
"bury them in the corner of the Field"
"**Non impostare alcun segno sopra di loro**"
"set no mark above them"
"**Non dare loro alcun segno di alcun tipo**"
"don't give them any sign of any kind"
"**nessuno conoscerà il luogo del loro riposo**"
"none shall know the place of their resting"
"**perché sono stati maledetti nella loro vita**"
"because they were accursed in their lives"
"**e saranno maledetti nella loro morte**"
"and they shall be accursed in their deaths"
E il popolo fece come egli aveva comandato loro
And the people did as he commanded them
nell'angolo del Campo dove non crescevano erbe dolci
in the corner of the Field where no sweet herbs grew
Hanno scavato una fossa profonda
they dug a deep pit
e deposero le cose morte nella fossa
and they laid the dead things within the pit

Quando il terzo anno era finito
when the third year was over

in un giorno che era un giorno santo
on a day that was a holy day
il sacerdote salì alla cappella
the Priest went up to the chapel
andò a mostrare al popolo le piaghe del Signore
he went to show the people the wounds of the Lord
e parlò loro dell'ira di Dio
and he spoke to them about the wrath of God
si vestì con le sue vesti
he robed himself with his robes
e si inchinò davanti all'altare
and he bowed himself before the altar
Vide che l'altare era coperto di strani fiori
he saw that the altar was covered with strange flowers
fiori che non aveva mai visto prima
flowers that never had he seen before
erano strani da guardare
they were strange to look at
ma avevano una bellezza interessante
but they had an interesting kind beauty
la loro bellezza lo turbava
their beauty troubled him
il loro odore era dolce nelle sue narici
their odour was sweet in his nostrils
Si sentiva contento ma non capiva perché
he felt glad but he did not understand why
Cominciò a parlare alla gente
he began to speak to the people
voleva parlare loro dell'ira di Dio
he wanted to speak to them about the wrath of God
ma la bellezza dei fiori bianchi lo turbava
but the beauty of the white flowers troubled him
e il loro odore era dolce nelle sue narici

and their odour was sweet in his nostrils
e un'altra parola gli giunse sul labbro
and another word came onto his lip
non ha parlato dell'ira di Dio
he did not speak about the wrath of God
ma ha parlato del Dio il cui nome è Amore
but he spoke of the God whose name is Love
non sapeva perché parlava di questo.
he did not know why he spoke of this
E quando ebbe finito la gente pianse
And when he had finished the people wept
e il sacerdote tornò in sacrestia
and the Priest went back to the sacristy
e i suoi occhi erano pieni di lacrime
and his eyes were full of tears
E i diaconi entrarono e cominciarono a spogliarlo
And the deacons came in and began to unrobe him
E stava come uno in un sogno
And he stood as one in a dream
"Quali sono i fiori che stanno sull'altare?"
"What are the flowers that stand on the altar?"
"Da dove vengono?"
"where did they come from?"
Ed essi gli risposero
And they answered him
"Che fiori siano non possiamo dirlo"
"What flowers they are we cannot tell"
"ma vengono dall'angolo del campo"
"but they come from the corner of the field"
E il sacerdote tremò
And the Priest trembled
e tornò a casa sua e pregò
and he returned to his house and prayed

E al mattino, mentre era ancora l'alba, partì con i monaci
And in the morning while it was still dawn he went forth with the monks
andò avanti con i musicisti
he went forth with the musicians
I candelieri e gli scambisti di incensieri
the candle-bearers and the swingers of censers
e aveva una grande compagnia di persone
and he had a great company of people
e giunse sulla riva del mare
and he came to the shore of the sea
perché tutti vedano che ha benedetto il mare
for everyone to see he blessed the sea
e benedisse tutte le cose selvagge che sono in esso
and he blessed all the wild things that are in it
benedisse anche i fauni
he also blessed the fauns
e benedisse le piccole cose che danzano nel bosco
and he blessed the little things that dance in the woodland
e benedisse le cose dagli occhi luminosi che scrutano attraverso le foglie
and he blessed the bright-eyed things that peer through the leaves
ha benedetto tutte le cose nel mondo di Dio
he blessed all the things in God's world
e il popolo era pieno di gioia e meraviglia
and the people were filled with joy and wonder
ma i fiori non crebbero mai più in un angolo del campo
but flowers never grew again in the corner of the field
e la gente del mare non venne mai più nella baia
and the Sea-folk never came into the bay again

perché erano andati in un'altra parte del mare
because they had gone to another part of the sea

Fine / The End